O'r Rhuddin

O'r Rhuddin

Sioned Erin Hughes

Argraffiad cyntaf: 2024

Dymuna'r cyhoeddwyr gydnabod cymorth ariannol
Cyngor Llyfrau Cymru.

Rhif Llyfr Rhyngwladol: 978 1 80099 546 8

Cyhoeddwyd ac argraffwyd yng Nghymru gan
Y Lolfa Cyf., Talybont, Ceredigion SY24 5HE
gwefan www.ylolfa.com
e-bost ylolfa@ylolfa.com
ffôn 01970 832 304

Rhagair

Dyma gyhoeddi'r 365 o ddarnau creadigol imi eu sgwennu yn 2023 rhwng dau glawr. Cyhoeddwyd y rhain yn wreiddiol ar fy nghyfrif Instagram, *myfyrdod365*, ac rydw i am gyflwyno'r gyfrol hon i'r holl ddilynwyr triw a ffeind sydd ar y cyfrif hwnnw. Diolch am bob sylwad caredig ac am bob neges bersonol, am rannu fy narnau yn eang ac am fy ngyrru ymlaen o un darn creadigol i'r llall.

Ar y dechrau, doedd gen i ddim nod o gyrraedd y bobl hyn i gyd. Yn hytrach, roedd gen i nod bersonol o gyhoeddi darnau heb hidio gormod am berffeithrwydd. Roeddwn eisiau cyhoeddi heb deimlo'r angen i olygu hyd syrffed, a'u cyhoeddi gyda balchder, heb ildio i'r llais bach (mawr!) beirniadol yn fy mhen a oedd yn mynnu nad oedd y darnau'n ddigon da i adael y ffolder Nodiadau ar fy ffôn.

A'r hyn ddigwyddodd, heb imi fod yn gwbl ymwybodol o'r peth, oedd i'r llais dawelu bob yn dipyn dros gwrs y flwyddyn. Mae'n dal i fod yno, ond dydi'r llais ddim yn un cas mwyach. Mae'n llais adeiladol. Mae'n llais sy'n adnabod fy nghamau gweigion, ond sy'n derbyn bod y rheiny'n perthyn i gyfnod, i orffennol, a bod gen i, fel pawb, yr hawl i wella bob dydd. Y wers? Dylai ofni amherffeithrwydd fyth ein dal ni'n ôl rhag gwneud yr hyn rydyn ni'n caru ei wneud.

Syrpréis bach annisgwyl hefyd oedd teimlo fy hun yn gwella tu mewn o rannu'r darnau hyn. Mae yna ddarnau am ryfel a phoen, oes, ond mae yna hefyd ddarnau am garu, am gydorwedd. Mae yna ddarnau am fwytho anifeiliaid a gafael yn dynn yn fy mhobl. Mae yna ddarnau am blentyndod, am faddau, am ddod o hyd i heddwch mewn tryblith. Ac mae yna ddarnau am ddod yn ôl at fyd natur – yn ôl at blanhigion, at bridd, at y môr, at adar bach – er mwyn gallu dod yn ôl at fy nghoed.

Diolchiadau

Diolch i wasg y Lolfa am y ffydd a'r ymddiriedaeth, ac yn arbennig i Meinir Wyn Edwards am ei golygu gofalus, ei hawgrymiadau gwerthfawr, ac am barchu fy ngweledigaeth yn llwyr gyda phopeth rydw i'n ei sgwennu.

Diolch i Dr Alaw Mai Edwards am ei llygaid treiddgar a'i hadborth doeth, ac i Alan Thomas am amynedd sant wrth gysodi – mi wnaeth waith cwbl arbennig arni.

I fy chwaer, Cain, diolch am glawr bendigedig ac am ddal yr union beth oedd gen i mewn golwg fel dyluniad, ti wir yn sbesial.

I'r Cyngor Llyfrau, diolch am gefnogi'r gyfrol ac am y cyllid i allu parhau i sgwennu.

I Lenyddiaeth Cymru, mae'r diolch yn ddiddiwedd. Diolch am gael bod yn rhan o garfan Cynrychioli Cymru 2023–24, mae'n fraint fydda i'n ei chadw'n dynn am byth.

Diolch yn arbennig i griw Tŷ Newydd am fy nghefnogi gyda phob dim rydw i'n ei wneud, ac i'r ddwy Firiam (Miriam Sautin a Miriam Williams) am bob anogaeth.

Mae cymaint o unigolion sy'n haeddu diolch, ond i nadu fy hun rhag rhestru, mi ddyweda i ddiolch i bawb am bob dim a gobeithio fy mod i'n cwmpasu'r cwbl lot felly!

1/365 | Calan

Mi ddaw heddiw ag addunedau,
hynny'n saff.
Mi glywi di am ddileu siwgr o fywyda,
am dorri i lawr ar y bara,
am weithio'r coesa
nes bod cyhyrau'n donnau tyn
dan wyneb y croen.

Gwylia gael dy dynnu gan y tonnau hynny.
Gwylia iddyn nhw halio dy wallt
dan wyneb hallt y dŵr.
Gwylia dy hun wrth i'r gwymon glymu
a dy dynnu gerfydd dy ffera
i'r dyfnderoedd odanodd.
Paid ag ildio.

This is your vessel.
Wneith cyfieithiad Cymraeg ddim gweithio.
Dyma dy deml?
Ddim cweit yn taro.
This is your vessel.
This is your vessel.
This is your vessel.

Edrycha ar ei ôl o.

2/365 | I Nain Brychyni yn 75 mlwydd oed

Dwi'n meddwl am ei dwylo hi,
fel maen nhw'n dal y gras rhyfedda
ddim ond o sbio ar lif
y gwythienna,
yn nentydd triw i'w llwybra
ond yn aberu hefyd, ar brydia,
fel un ochenaid hir i ehangder mwy.

A dwi'n dotio atyn nhw,
yn dotio fel mam
wrth deimlo dwrn ei babi
eiliadau oed yn clymu ei afael
yn addewid am ei bys bach.
Mae'n ddotio diguro,
minnau'n crio…

Crio gan 'mod i'n gweld
y cwbl wedi'i fapio o fy mlaen.
Y *bywyd* 'ma, wedi'i fyw mor llawn
nes bod blynyddoedd profiad
a hen olion atgofion
yn goferu dros yr ymylon.
A thra bydd anadl a churiad ynof,
ni aiff dwylo Nain yn angof.

3/365 | Teyrnged i'r plentyn tu mewn

Glawio heddiw.
Y gwely'n gofyn
drwy blygiadau ei flancedi
imi aros yno.
Drwodd a thro
mae'n dweud nad yw dydd
heb haul yn fy haeddu,
bod gwell imi swatio
rhag i'r gawod faeddu mwy
ar fy enaid blin.

Ond heddiw,
dwi'n pallu gwrando.
Dwi'n codi, yn lapio
siôl am fy sgwyddau
ac yn gadael i'r glaw
olchi olion Rhagfyr oddi arnaf.
Dwi'n sefyll yn ei ganol,
yn teimlo'r rhychau
yn llacio, y dagrau bach
yn smwddio'r drwg i ffwrdd.

A siŵr iawn, dwi'n dawnsio,
yn teimlo'r plentyn bach
yn deffro,
a ddoe pell i ffwrdd
yn ôl yn fyw o fy mlaen.

Dwi'n cofio fel imi garu'r
gawod bryd hynny,
fel roedd hi'n disgyn drosta i,
yn drybola o ryddid.

Dwi'n aros yno
iddo orffen fy mendio;
mae'r glaw hwn
yn Ionawr drwyddo.

4/365 | Taith car drwy'r Bannau

Sgileffaith magwraeth ym Mhen Llŷn

Rhyfedd fuodd mynyddoedd imi erioed. Dwi'n dreifio drwy glwstwr ohonyn nhw rŵan ac yn teimlo dibendrawdod y ddaear yn fy mêr. Mae'r byd yn agor ei gloriau o fy mlaen – bob dim mor helaeth, a'r un hen deimlad cyntefig yn bragu yn fy mron wrth i'r cynfyd sibrwd hen straeon lond fy mhen.
    Ac *eto*,
    o'u cael yn gewri bob ochr imi, alla i ddim peidio â theimlo fy hun yn mygu. Teimlo brys mawr i gyrraedd y pen arall, ryw sgrech fach yn fy ngwaed. A phan gyrhaeddaf y man draw hwnnw, dwi'n ei weld o. Stribyn o fôr yn dangos ei hun drachefn.
Anadlaf.

5/365 | Gelli Gandryll

Mae enw'r lle
yn ddrwm ynof.
Gerfydd fy chwilfrydedd,
caf fy nhynnu yno
i fyd sydd wedi'i furio
gan gloriau caled,
geiriau a *genres*.

Dwi'n rhedeg fy mysedd
dros deitlau,
yn rowlio enwau awduron
yn fy ngheg nes iddi sychu.
Agoraf glawr
a gadael i eli'r geiriau
wasgaru ei hun yn drwch
dros fy anwybodaeth.

Sawl tudalen sydd yma?
Beth am air? *Llythyren*?
Sawl llofruddiaeth,
godineb a chymod?
Sawl stori garu
fyddai rhywun yn ei ganfod?
A sawl un sydd,
o fy mlaen fy hun,
wedi teimlo bod yma
eneidiau hoff, cytûn?

6/365 | Gan 'mod i'n caru adra fwy ar ddychwelyd

Wrth gyrraedd Ganllwyd,
bob un *blydi* tro,
dyna pryd dwi'n ei deimlo fo.

Ryw le pasio drwyddo –
stop pi-pi ac afon ddel,
ond wrth hel yr hiraeth
am ddoe a fu
i albwm dan deitl
'Dechrau twenti-thri',
dwi'n sydyn yn stopio.

Ddaw 'na hud drosta i,
ryw ledrith i'm llenwi,
yn enwedig ar y strej
rhwng fama a'r Oakeley.
Y gwybod 'mod i'n agos,
er na fues i'n rhy bell,
a bod adra yn barod
i mi ei garu o'n well.

7/365 | I am, I am, I am

'I took a deep breath and listened to the old brag of my heart. I am, I am, I am.'
Sylvia Plath

Mae hon yn flwyddyn o ddiosg hen groen, ei blicio i ffwrdd fesul haen. Mae gwella yn ddychrynllyd ac erchyll a bregus a hyfryd – y gybolfa i gyd. Dwi'n teimlo fy hun yn cyffwrdd ag uffern a nefoedd am yn ail a dwi'n ildio i'r pendilio, yn mynd efo fo.

Heddiw, mi feddyliais i am y diwrnod hwnnw, bron i ddegawd yn ôl. Y diffodd mawr, y dynfa annhymig i geudod diwaelod. Dim angel na golau, dim byd ond du. Dim gorffennol yn fflachio o fy mlaen, dim llygaid Dad na dwylo Mam. Dim ond düwch yn esgor ar ddüwch yn esgor ar ddüwch, a rhyw gythraul yn fy nyfnder eithaf yn lloerig efo ysfa i ffeindio'r golau.

Heddiw, mae'r cofio yn fregus, yn hyfryd, yn nefoedd ac yn fêl, a'r golau yn ddigon i'm dallu.

*Myfyrio annisgwyl wrth ddarllen hunangofiant Maggie O'Farrell, sy'n dwyn yr un teitl â'r gerdd hon. Mae'r awdur yn edrych yn ôl dros 17 digwyddiad yn ei bywyd lle'r oedd y ffin rhwng byw a marw yn anhygoel o denau. Mi wnaeth imi feddwl am yr adeg ro'n i'n aros i fynd i'r theatr, ddegawd a mwy yn ôl, a sut imi ddeffro ddeuddydd yn ddiweddarach yn yr Uned Gofal Arbennig efo'r atgof o'r teimlad o farw wrth gael fy mrysio am lawdriniaeth.

8/365 | Y dŵr ar ddydd Calan

Cyn hyn,
wysg fy nhin
fyddwn i'n mentro i'r môr.
Gadael i'r dŵr
bupro bodia 'nhraed
a gwylio fy nghamau
efo gofal origami.
Y don yn cyrraedd
y ddwy ben-glin,
a'i min oer
yn gyrru cryndod
lawr rhimyn fy nghefn.
Yn ôl am y lan â fi.

Ond Calan
ddaeth â ryw gnofa,
ryw ysfa i redeg
nerth fy mhegla amdano.
Rhyfedd fel i'r gorwel
deimlo'n nes,
fel i'r oerfel
deimlo'n gynnes.
Ac er arteithio
ac ellyllion y byd,
roedd heddwch, am eiliad,
drwy'r cread i gyd.

9/365 | Cysur mewn strwythur

Dros Dolig,
naw wfft i drefn y dyddiau.
Gad iddyn nhw
fowldio i'w gilydd
yn un lwmp o glai.
Efallai mai fama mae'r aur –
mewn diffyg rwtîn,
mewn larwm segur,
mewn bodoli'n ysgafn
a phlygu i'r Rhagfyr.

Ond daw Ionawr,
daw egni newydd,
ac er yr awydd
i swatio tan y Mis Bach,
dwi'n codi,
yn brwsio'r nos
o fy ngwallt
ac yn dychwelyd at fy nesg.
A rhwng cyfarfodydd,
ebyst a the rhydd,
mae strwythur, unwaith eto,
yn euro'r dydd.

10/365 | I Mam yn hanner cant

Pe bawn i'n medru,
mi fyddwn i'n rhewi heddiw,
ddim ond am ychydig.
Gadael i'r byd
fynd o gwmpas ei bethau,
rhoi hyd a lled ei broblemau
i'r ochr am ennyd arall,
i'w dathlu hi fymryn yn hirach –
ei hanner cant i gyd.

Mae Mam yn haeddu hynny,
a mwy.
Mae iaith yn rhy rad
a'r geiriau yn methu,
wrth geisio dal gafael
ar drugaredd sy'n meddu
bob tamaid, bob llychyn ohoni.
Fel agor bron,
fe lif fel afon ohonom
gariad tuag ati
na dderfydd.

A phe bawn i'n medru,
mi fyddwn i'n hel ynghyd
y duwiau, mynd ar fy ngliniau
a gofyn am gael arafu

bob cloc ac oriawr.
I gael cadw ei llygaid
a'u llewyrch clên,
a chadw'r gwanwyn
lond ei gwên.

11/365 | **Blodau ffres**

Gynt,
do'n i'm yn eu dallt nhw:
Pam prynu petha
sy'n bownd o farw
cyn pen yr wsos?
Dangos dy gariad
ryw ffordd arall.
Rho imi wbath 'neith aros.

Ond rŵan,
gyda llygaid
sy'n wenau plentyn,
a chryndod adain aderyn
yn nwfn fy mron,
dwi'n derbyn bwnsiad.
A rhywle rhwng y lliw
ac arogl hen hafau,
dwi'n dewis gweld y blagur
yn lle gweld yr angau.

12/365 | 'Mae'r dydd yn 'mestyn'

Mae'r geiriau'n
taro'r glust yn ysgafn
fel ochenaid babi;
mae'r dydd yn 'mestyn.
Ac mae ôl rhyddhad
yn drwm ar ei lais,
hiraeth hefyd.
Minnau isio gafael yn y geiriau,
eu hogi'n dda
a'u defnyddio'n arfau
yn erbyn byrhoedledd heddiw.

13/365 | Mae 'na dduw yn Uwchmynydd

Mae'n fwy na hud.
I mi, sydd ddim yn coelio,
dwi'n brysio i gwestiynu'r
duwdod sy'n dreigio drwof i.
Mae o dan fy nhraed,
yn dew drwy'r aer,
mae'n haen dros y môr
ac ym mhiws y grug.
A dwi'n gwybod
dy fod dithau'n ei deimlo.

Ym mrig mis Mai,
ni'n dau
yn dilyn y lôn gul i'r top.
Ac o gerdded i'r gwaelodion,
gweld urddas Enlli
yn wincio'n agosach.

Ac o'r distawrwydd
heb grybwyll na Beibl na chrefydd,
mi gytunon ni'n dau
bod 'na dduw yn Uwchmynydd.

14/365 | Mae'r corff yn mynnu cofio

Dim cerdd heno. Mae'r geiriau'n gaddug yn fy mhen a'r odl fel menyn yn
toddi yn fy nwylo, yn llithro mwy oddi wrtha i wrth imi geisio cael gwell
gafael arni.

Mae'n fath gwahanol o flinder. Mae'n flinder nad ydi cwsg yn gallu ei
dwtsiad, heb sôn am ei lacio. A phan mae'n taro, mae'n fy ngorfodi i stopio'n
stond a throi cefn ar y siarad a'r golau. Stafell dywyll ydi'r unig ffordd ymlaen.

Wna i fyth fòs ar hwn. Dwi'n gwybod i beidio byth â'i herio, mae'r dyddiau
o drio cael y llaw uchaf wedi pasio. Mi wna i ildio bob tro, gan fy mod i'n
adnabod yr ochr arall yn rhy dda o'r hanner.

Ac er nad yw'n digwydd mor aml erbyn hyn, mae'n dal i fy aflonyddu fel y
tro cyntaf un. Mae'r hen ddyfroedd yn dal i gorddi, a'r atgof o hen realiti yn
dannod imi na wnaiff o fyth ffarwelio yn llwyr.

15/365 | **Breuddwyd** *insomniac*

Mi ddarllenais unwaith am fardd yn cymharu rhywbeth bregus efo breuddwyd *insomniac*. Ro'n i'n meddwl bod hynny'n dal hanfod bregusrwydd, sut mae pethau'n gallu bod mor agos at chwalu'n shitrwns – weithiau, dim ond chwinciad sydd ynddi hi.

Ac mi fydda i'n meddwl am fy mlynyddoedd o anhunedd yn aml, sut ro'n i ag ofn gwirioneddol o amser gwely gan mai dyna pryd fyddai dwrn y nos yn gwasgu. Byddwn i wedi rhoi'r haul ei hun, yr adeg honno, am awr o gwsg. Ac roedd yr ychydig gysgu ro'n i'n ei wneud yn teimlo fel derbyn yr haul yn ôl, yn rhodd aur yn fy nwylo.

Roedd bob dim yn fregus bryd hynny. Mi ddysgais yn rhy hwyr o lawer mai trio'n rhy galed ro'n i – trio perffeithio, a'r gyfrinach efo cysgu oedd ildio gan fy mod i'n gwybod, yn fy nghalon, nad oedd fy ffordd i'n gweithio mwyach. Gollwng gafael yn araf, wedyn gadael i'r llithro ddigwydd ohono'i hun. Roedd yn rhaid imi gael gorffwys.

Bu honno'n wers i bethau eraill wedyn, hefyd.

16/365 | **Lleuad**

Golau ail-law.
Yr haul wedi cadw
peth i'r ochr,
wedi hepgor
ychydig o'r dydd
a'i roi i dlodi'r nos.

Dyma dawelach gola;
dim owns o ffÿs na gwala.

Mi godaf fy mhen ati
a chael ei lleufer
yno'n wincio.
Fel ewin gwenog,
mae'n gwrthod blino
nes i'r haul ddeffro
a chymryd yr awenau
unwaith eto.

Ond mil gwell gen i
yw codi fy mhen ati
a'i chael yn sosban
o lefrith cynnes.
Mae rhyw dynfa,
ryw hen adnabod,
a minnau isio'i hyfed
i'r gwaelod.

17/365 | Pan dydi'r geiriau ddim yn dod

Mae o'n gwneud imi deimlo fel taswn i ddim am allu sgwennu fyth eto, bod fy nychymyg wedi'i wisgo ei hun yn denau. Dach chi'n gwybod pan dach chi'n dweud gair drosodd a throsodd a throsodd, nes eich bod chi'n cwestiynu bodolaeth y gair yn gyfan gwbl? Dyna ydi bob gair imi heno. Mae ystyr bob dim ar goll a iaith ei hun ar drai.

Mae odli'n rhywbeth arall wedyn. Dwi'n rhwygo i mewn i mi fy hun yn chwilio am odl i ffitio, ergyd i blesio. Dwi'n rhoi'r gorau i chwilio, ac yn sylweddoli mai'r unig air fyddai'n dal hyn i gyd, yr unig air nad ydw i'n cwestiynu ei fodolaeth heno, ydi gonestrwydd.

18/365 | Oren, glas a gwyn

Roedd Mam yn arfer dweud wrtha i fod fflamau glas
yn arwydd o eira y diwrnod wedyn

Neithiwr,
mi ffeindiais i fy hun
yn studio'r tân,
fel erstalwm.
Gweld y glas
yn pryfocio'r oren,
fel paun yn brolio
lliwiau ei blu.
Ond roedd hi'n dlws,
y gynnen hon,
yn falm
ar odre'r galon.

A drosodd â fi
i dir nostalgia,
i dir treulio gaeafau
y pen saff i'r grât

yn chwilio am smijin,
unrhyw lyfiad o las.
Ac o'i weld, gofyn wedyn
am wely bach cyn saith,
a gadael i'r nos a'r eira
gael dechrau ar eu gwaith.

19/365 | I Ceinwen

Os na alla i wneud
ryw lawer,
gad i mi ddweud
ryw ychydig.

Mi ddyweda i,
yng nghanol dy galedi
bod yna garedigrwydd
sy'n gwrthod gadael.
Mae'n gafael yn dynn
yn dy du mewn di,
yn dy arfogi
yn erbyn grym
yr hyn sy'n chwerw.
Achos er berw'r cyfan,
mae aur yn dy anian.

20/365 | Cip ar wanwyn

Allwn i ddim bod yr unig un,
heddiw,
i deimlo'r tro.
Roedd o'n brifo o dlws –
gweld yr awyr
yn gyforiog o las,
fel canfas yn ymestyn
ei breichiau am allan,
yn dadmer o'i chwsg
i dymor newydd.

A'r aer? Mor oer!
Yn teimlo'n anghyfarwydd,
fel dechrau newydd
lond fy 'sgyfaint.
Ac er i'r tir grensian
dan glogyn trwm o arian;
maen nhw'n agos, mi wn i hynny,
y dyddiau hir a melyn –
fel un sy'n diodde'r gaeaf,
dwi'n un sy'n caru'r gwanwyn.

21/365 | Diwrnod clirio

Diwrnod clirio oedd heddiw. O dynnu bob dim o'r droriau a gwagio boliau'r cypyrddau, mi wnes i allu cloriannu fy eiddo i gyd. Pethau dwi wedi'u hel dros fy chwarter canrif – y freichled *evil eye* gan ffrind ym Mlwyddyn 3, cerdd wnes i ei sgwennu am elyrch ym Mlwyddyn 4, fy nghadw-mi-gei Disney cyntaf, wedi ei dolcio, ond yn dal yn un darn.

Mae 'na bethau mae rhywun yn eu cadw, y sentiment a'r hiraeth yn ennill y dydd. Mae'n ein hatgoffa ein bod ni i gyd wedi bod yn blant unwaith – yn bethau bach bochgoch a'n diniweidrwydd wedi'i lapio'n saff amdanon ni. Mae'n ein hatgoffa o'r adeg honno pan oedden ni'n dechrau mentro ar ein beics heb *stabilisers*, pan oedden ni'n gwybod efo mwy o sicrwydd os mai'r llaw chwith neu'r dde oedd orau am ddal y bensil.

Ac mae 'na bethau wedyn mae rhywun yn gollwng gafael arnyn nhw. Mae 'taflu' yn air rhy ffwrdd-â-hi, yn gamarweiniol – fel taswn i ddim wedi bod â meddwl y byd o'r pethau hynny mewn cyfnod arall yn fy mywyd. Ond i wneud lle ar gyfer fory, drennydd, tradwy, ac yn y blaen ac yn y blaen, mae'n rhaid ffrwyno ychydig ar ddoe.

22/365 | Pryd wyt ti'n gwybod fod pethau'n gwella?

Pan mae cwsg yn cofleidio, nid crafangu.

Pan nad ydi dy ben di'n llawn o ddrwg wrth ddeffro, a ti'n meddwl yn hytrach am banad gynta'r dydd.

Pan ti'n stopio teimlo brys i lenwi dy ddiwrnodau fel nad ydi dy feddwl yn cael cyfle i feddwl.

Pan ti'n troedio fymryn yn ysgafnach, dy gefn di'n sythu o'i gwman.

Pan ti wirioneddol yn sylwi ar sut dywydd ydi hi tu allan. Gwell fyth, pan ti'n gorfoleddu o'i deimlo fo – yn ddiferion glaw ar dy gnawd neu'n hollt o haul ar dy war.

Pan ti'n llwyddo i fodoli yn y bwlch rhwng dau air, heb deimlo'r angen i ffeindio'r gair nesaf o hyd. At hynny, pan mae'r tawelwch yn llonyddu yn lle corddi.

A phan ti ddim yn cwestiynu'r holl garu, ond yn hytrach yn derbyn a rhoi yn dawel.

Dyna pryd ti'n gwybod.

23/365 | **Am bump y bora**

Peth prin i mi
yw gweld
pump y bora.
Gan amlaf,
mi fydd gweld yr wyth
yn wyrthiol;
ac yna, mae naw
a'i larwm gorfodol
yn dannod imi godi.
Dwi'n ei mulo hi i'r gegin,
yn rhoi'r teciall i ferwi.

Ond fore heddiw,
mi welais i'r pump.

Mi deimlais y diwrnod
yn deor, yn gwthio'i
big drwy'i blisgyn,
yn agor ei hun am allan.
Roedd Llun heb ei dwtsiad,
roedd o'n lân a chynnar,
ac am ennyd, fi'n unig
oedd yn bod ar y ddaear.

24/365 | Gorchwyl o gariad

Mae 'na brydau ar gyfer y diwrnodau hynny lle mae ril y dychymyg yn brifo,
lle mae plicio taten yn ymdrech, a phan mae meddwl dilyn rysáit sy'n siarad
am y *sauté* a'r *chop finely* a'r *deglaze* yn gwneud ichi fod isio beichio crio. Mae'n
iawn cael powlennaid o Cheerios i swpar weithiau, neu *sushi* Lidl i frecwast.
Does 'na ddim rheol i'r pethau 'ma, ddim go iawn.

    Ond mae 'na brydau wedyn ar gyfer y diwrnodau hynny pan mae bywyd
yn brafiach, yn hedonistaidd, bron. Pan mae 'na ryddid a hamdden yn yr
aer, ac felly roedd hi imi heddiw. Am ddim rheswm neilltuol, ro'n i'n teimlo
fel plentyn ar ddiwrnod ola'r ysgol cyn cau am wyliau'r haf. Wrth dorri'r
cynhwysion, ychwanegu'r sbeis, styrio'r cwbl a blasu bob yn dipyn, ro'n i'n
teimlo bodlonrwydd pur. A rhannu'r pryd wedyn efo'r un dwi'n ei garu,
ac yntau'n *mwynhau*'r bwyd – yn gwenu, brolio, llowcio. Roedd y cwbl yn
orchwyl o gariad.

25/365 | Diwrnod Santes Dwynwen

Mae Dwynwen ar dafodau,
a Maelon yn atsain o'r muriau.
I rai, diwrnod i ddathlu dau
efo Moonpig, *sirloin* a blodau.

Ond hawdd ydi caru mwy nag un,
gall calonnau rannu'n go hael,
a thra bydd môr yn dal i donni'n hallt,
y platonig fydd yn garu di-ffael.

26/365 | Traed ci ar lawr feinyl

Mae lloriau feinyl
yn stribyn hir drwy'r lle,
ein dyfodol
yn dod at ei gilydd
fesul dipyn.

Y paentio ddaw nesa;
paentio? 'Ta *peintio?*
Ta waeth –
wedyn gosod cyrtans,
prints *bold* ond *snazzy*,
lampiau bach, dirifedi,

ac O! myrdd o flancedi!
A phlanhigion,
blodau hefyd,
rhai sych a ffres
i liwio'n byd.

Mae'r Sul
yn codi berw,
a phan ddaw
hi'n amser i'w fwrw,
ddaw y byd tu draw
ddim ar ein cyfyl –
dim ond chdi, fi,
a sŵn ei thraed ar y feinyl.

27/365 | Cyfaredd y cyfarwydd

Mae'n fy nharo fel mae'r cŵn adra yn gwirioni bob tro dwi'n mynd â nhw am dro, er ein bod ni'n dilyn yr un hen lwybrau defaid a thraciau fferm erioed. Fel maen nhw'n culhau bob synnwyr, yn slafio ar ôl bob ogla, yn codi eu clustiau i'r synau lleiaf.

Maen nhw'n athrawon imi, mewn ffordd. Nid yn unig iddyn nhw fy nysgu i arogli irder y tir i waelod fy mod ac i wrando am frefu defaid a bregliach adar bach, ond maen nhw hefyd yn fy nysgu am gyfaredd y cyfarwydd, a'r tlysni sydd i dramwyo'r un hen le o hyd.

28/365 | Chwinciad a darfod

'Too much joy, I swear, is lost in our desperation to keep it.'
Ocean Vuong

Oes yna air Cymraeg am *fleeting*? Rhywbeth byr ei barhad, sydd ddim i fod i aros yn hir, lle mae'r gic iwfforig yn cael ei cholli o'i hymestyn am allan.

Dwi ddim yn teimlo'r angen i ddal arno yr un fath ddim mwy. Mae bywyd wedi profi droeon bod darfod, yn aml, yn cario mwy o sicrwydd na pharhad. Mae dod o hyd i heddwch yn hynny wedi gwneud bywyd yn haws.

A rhywbeth arall sy'n helpu yw dirnad bod hapusrwydd, llawenydd – sut bynnag dach chi'n diffinio'r ddau – yn werthfawr, nid er gwaetha'r pegwn arall, ond o'i achos o.

29/365 | Ym Mhorth Neigwl fy nghalon

Mae 'na rybudd wrth geg y llwybr i lawr am Borth Neigwl sy'n dweud wrthon ni i adael dim byd ond olion ein traed ar ein holau. Sut felly mae dechrau egluro na fydd posib imi droi oddi yma heb adael fy nghalon fy hun ar f'ôl?

30/365 | Y lôn sy'n arwain adra

I Nia Wern

Mae'n atgof craidd o siwrna
all amser mo'i ddifetha;
serio'i hôl ar galon wna
y lôn sy'n arwain adra.

31/365 | Saff

A dwi'n deud wrthat ti rŵan, y fraint fwyaf o holl freintiau'r byd ydi'r fraint o deimlo'n saff. Does gan bawb ar wyneb y ddaear mo'r hawl ar hynny. Mae ofn mor gyfarwydd i rai â gwawr a machlud, yn cario'r un sicrwydd â churiad eu calonnau.

Dwi'n adnabod hynny, ond dwi ddim yn ei fyw o ddim mwy. Mae gen ti dy le diogel, dy bobl ddiogel, dy *un person* sy'n teimlo fel miloedd o freichiau'n dy gofleidio ar unwaith – y math hwnnw o ddiogel. Ac yn fwy na dim, mae gen ti'r diogelwch yn dy feddwl ac yn dy gorff dy hun.

Mae'n fraint cael un. Mae gen i'r pump.

32/365 | Dyheu

Roedden ni'n trefnu gwyliau heno. Copenhagen a Berlin ddechrau Gorffennaf. Ac mae'r gwyliau, mewn gwirionedd, wedi dechrau'n barod.

Be dwi'n drio ei ddweud ydi, i mi, mae'r gwyliau'n dechrau pan mae'r *dyheu* yn dechrau. Lle mae blerwch wedi hel yn fy meddwl, trefnu gwyliau sy'n creu congl lân. Lle i ddenyg, fel Foel Cefnamlwch fy mhlentyndod.

A dwi'n cael fy atgoffa o'r hyn ddarllenais unwaith, sef bod y dyheu am baradwys yn baradwys ynddo'i hun. Dyma ydi cael blas blaen llwy ar rywbeth, gan wybod bod platiad cyfan yn aros amdanoch chi.

33/365 | Gwers

Mi ddarllenais i stori am gwpl heddiw, y ddau yn 96 mlwydd oed ac wedi bod yn briod ers 75 o flynyddoedd. Mae Jean, y wraig, yn dweud:

We don't agree on everything, but we agree on that.

Ac mae ril y cof yn troi. Am ychydig, dwi'n ôl yn bymtheg oed, wedi fy nghyflyru gan ffilmiau rhamant i gredu bod yna un person am gyd-weld efo fi ar bob dim, am gytuno ar y manylion bach, bob un.

Yna, daeth *Good Will Hunting* i fy mywyd ac mewn un symudiad chwim a thyngedfennol, tynnwyd y tywel oedd am ganol cariad a'i adael yno'n noeth imi ei studio, yn ei ogoniant a'i gywilydd i gyd. Dyna pryd ddechreuais amgyffred bod cariad gwirioneddol yn golygu anghytuno o dro i dro. Bod cariad yn tyfu, nid o aros yn llonydd, ond yn aml iawn o wingo.

34/365 | Croendena

I Mared Llywelyn, yn dilyn llwyddiant ei drama gomedi, Croendena

Pan mae'r croen yn dena
a thafodau wedi eu hogi'n dda,
lle mae'r ddihangfa?
I ble mae un yn encilio
pan fo'r corff, sy'n cario'r
holl boen a gwawd,
yn methu â chael
ei adael ar ôl?
Sut mae diosg cnawd?

Dos am dro i'r *un* lle 'na.
Gorwedda.
Teimla'r holl haenau
o du mewn y ddaear
yn uno efo dy rai dithau.
Mi ddoi di i ddeall
wrth i'r haul daro'n arian,
dy fod di'n filgwaith mwy
na ffigwr ar glorian.

35/365 | *Finding Dory*

Yn aml, dwi'n canfod fy hun yn ymweld â'r hen ddyddiau sydd wedi delwi mewn lluniau neu wedi'u cadw yng nghrombil y VCR. Dwi'n trio gwasgu fy hun i gyfnod, trio mowldio'n ôl i mewn i'r *noughties* cyn iddyn nhw sylweddoli fy mod i wedi'u gadael nhw o gwbl. Ond alla i ddim gwneud hynny, yn yr un ffordd na alla i fyth wisgo *training bra* eto. Mae'r plentyn wedi mynd.

Ond wedyn, mae 'na nosweithiau fel heno, noson *Finding Dory*. Dwi'n dotio o'r newydd at allu Disney i gynnau ynof yr un chwilfrydedd ag oedd gen i pan o'n i'n saith oed, yn agor fy nghoncyr cyntaf a chael fy nghyfareddu gan y canol meddal, amhosib o berffaith.

Mae'n rhyfedd o fyd. Cymaint oedd rhywun isio tyfu fyny, cymaint ro'n i, fy hun, isio bod yn hogan fawr. Ond o gyrraedd y lle hwnnw, dwi'n sylweddoli, efo help Disney, mai isio teimlo llaw rhywun i'n harwain adra'n ôl at y plentyn tu mewn ydan ni i gyd mewn gwirionedd.

36/365 | Gofalon ifanc

Pan oeddwn i'n iau, mi gefais iâr yn anrheg gan fy nhaid. Un Welsummer, dwi'n cofio, ac un goes yn fyrrach na'r llall ganddi. Roedd hi'n un o'r ieir deor hynny fyddai'n gori ar ddim, a hynny am fisoedd ar y tro. Mi fydden ni'n rhoi wyau oddi tani bob hyn a hyn, hynny gan inni bitïo drosti ac edmygu ei diwydrwydd ar yr un pryd. Mi fyddai hi'n delwi mwy efo'r wythnosau, yn ymprydio tuag at y diwedd hefyd. Gwyddai, wrth reddf, ei bod hi'n bopty a oedd yn bwydo bywyd i'r wyau gyda'i gwres, ac felly, gwnaed hi'n ystyfnig. Hoeliai ei hun wrth y nyth, yn llonydd fel llun. Wedi ymdrech deg, byddai'r wyau'n deor yn araf bach. Hen stormes oedd hon, felly doedd fiw inni sbecian ar wyrth y geni. Ond dwi'n cofio fel imi ddeifio i ddychymyg a gweld yr wyau yn dreigio wrth i'r pigau meinion fusnesu drwy'r plisgyn. Ac fel yr oedden nhw'n diosg eu hen gartrefi ymaith a dysgu bod angen gosod un droed o flaen y llall yn y lle newydd hwn, byddai'r fam yn troi ac yn lladd ei chywion ei hun.

Fyddwn i fyth yn gweld hyn yn digwydd, dim ond sylwi ymhen ychydig fod y fam allan yn gwledda ar olau dydd eto, a hynny heb giwed o'i hôl. Byddwn yn f'argyhoeddi fy hun eu bod nhw'n cysgu, bod cyrraedd byd newydd yn ddigon i flino unrhyw un. Ond ni fyddai hynny'n ddigon i dymheru'r dynfa aflonydd tu mewn imi wrth gamu i mewn i'r cwt. O'u gweld, byddwn yn beichio crio nes fy mod i'n tagu ac yn sneips i gyd – crio diwedd y byd. Cofiaf fel yr arferwn redeg fy mys dros eu mân blu a chodi eu cyrff llipa i gwpan fy llaw. Doedden nhw'n fawr o bethau i gyd, a byddai echel fy myd yn gwyro mwy gyda'r sylweddoliad hwnnw. Ni allwn yn fy myw â derbyn hynny, bod y rhain wedi eu lladd cyn i'w cribau ddod i'r golwg. Gwrthodais dderbyn hynny, gan wthio mwy o wyau i'r nyth er mwyn rhoi cynnig arall arni. Digwyddodd droeon eto gan godi'r un hen gur ag o'r blaen. Dysgais yn rhy hwyr o lawer nad oedd gen i'r medr, na'r hawl i ymyrryd â natur. Byddai wastad yn troi tu min.

37/365 | Penwythnos Mochras

Circa 2005

Mae hi'n benwythnos Mochras. Mae'r genod mawr yn y stafell drws nesa a dwi'n aros i Siôn orffen gêm ar Nickelodeon er mwyn trio dwyn perswâd arno i sbio os oes 'na *repeat* o *Takeshi's Castle* ar TBS. Dwi'n cymryd cip ar y cloc, ac mae hi'n tynnu am 10:25. Dwi'n studio Nain yn stwna yn y gegin, yn mesur ei chamau, yn croesi 'mysedd y tu ôl i 'nghefn. Gobeithio ei bod hi'n cofio heddiw.

Mae'r cae drws nesa i'r parlwr yn berwi â chwningod gwyllt, wastad wedi bod felly. Mwy ohonyn nhw na allith dwy law eu cyfri, a bysedd fy nhraed, hefyd. 'Swn i'n licio gallu eu mwytho nhw i gyd ond mae Nain yn deud nad ydi petha'n gweithio felly.

Mae 10:30 yn dod ac mae Nain yn mynd at ddrôr uchaf y cabinet ffeilio. Mae'r wich o'i agor yn tynnu'r genod mawr drwodd hefyd, eu chwerthiniad yn gwneud imi ddyheu am gael bod yn rhan o'r jôc. Yr un fyddai'r opsiynau gan Nain o hyd – un ai hanner paced o Mentos yr un, neu ddewis o ddau Maoam; tri pan fydd hi'n haf a phawb yn teimlo'n fwy ffeind. Dwi wastad yn mynd am y mints.

Mae'r dydd yn cael ei dreulio yng nghefn y trelar bach, ac Elain yn ein dreifio rownd y caeau ac i'r afon. Ar ddychwelyd i'r tŷ, mae Nain yn cynnal cystadleuaeth gwneud llun, ac mae hi'n gorfod bod yn deg, er bod pawb yn gwbod yn iawn mai Mari ddyla guro, bob tro. Cystadleuaeth sillafu Saesneg wedyn – amser i Rhian a Siôn deimlo'n sbesial. Ar ôl hynny, mater o aros ydi hi tan fydd *Crystal Maze* yn dechrau am 7, felly dwi a Siôn yn pasio'r amser drwy fwytho Meg, pipian ar benawdau magasîns *Take a Break* Nain a chyfri'r llyffantod sy'n hel o gwmpas y tŷ wrth iddi nosi.

Amser swpar. Mae Nain wedi gwneud sosijis, tatws stwnsh a grefi. I bwdin, mae 'na ddewis o fysedd siwgr, *meringues* efo jeli, neu'r *crème de la crème* – Viennetta. 'Dan ni'n teimlo fel brenhinoedd, wedi'n cau mewn bybl o fahogani a phapur wal *fleur-de-lis*. Mae tiwn gychwynnol *Crystal Maze* yn chwarae yn y cefndir, ac mae bywyd yn dda.

38/365 | Ar fregusrwydd

Mae hi'n well bod yn dyner a chryf nac yn galed a gwan.

39/365 | Ôl-ymadrodd

Beth sy'n weddill i'w ddweud? Dy fod di'n mynd i fod yn iawn. Ddaw o ddim heb boen, cofia, nid dyna dwi'n ei ddweud yn fama.

Dweud ydw i y doi di drwyddi yn gwybod bod cariad yn beth diawledig. Mi dorrith dy galon di'n dipiau mân a throi pob dim tu chwith. Mi ddoi di allan y pen arall yn gwybod mai caru ydi'r peth anoddaf y medrith dyn ei wneud, cyn mynd ymlaen i garu eto, ac eto ac eto ac eto, yn gwybod i sicrwydd ei fod o werth o.

40/365 | **Pan nad yw'r wên am imi ei gwisgo**

Un o symptomau Myasthenia Gravis yw colli'r gallu i wenu

Tu hwnt i'r Korean Skincare Routine a'r Gua Sha Stone,
   tu hwnt i'r *lash growth serum* a'r *nanobrows*, y stwff gwynnu dannedd a'r *hair masks*,
   a thu hwnt i bob *supplement* – Biotin i'r gwallt, Collagen i'r croen, y Zinc a'r Fitamin D a C, y Fish Oil a'r Probiotics, a bob dim arall sy'n gymysg oll i gyd tu mewn imi;
   mae gwên sydd weithiau'n pallu. A dwi'n meddwl, fel y rhown i'r haul i gyd, bob pelydryn olaf ohono i ddod o hyd i rywbeth i gywiro honno.
   Mae amherffeithrwydd i'w ddathlu, ydi, ond a' i ddim i deimlo'n ddrwg am fethu â chwythu'r balŵns a gwisgo'r goron bapur heddiw.

41/365 | **I'r hen ddaear wyw**

Yn wyneb cynhesu byd-eang

A phan gyrhaeddodd hi ben ei thennyn, doeddet ti ddim o gwmpas i edifar. Fasa hi'n ddim balchach o hynny beth bynnag. Poer yn ei hwyneb fyddai ymddiheuriad, y sarhad mwyaf un ar ôl bob dim. Achos mi ddaru hi dy rybuddio di, do?
   'Mi edrycha i ar d'ôl di, ond dwi'n disgwyl yr un driniaeth yn ôl.'
   Peidio â'i chymryd hi'n ganiataol, ti'n cofio? Ond roedd bob dim mor swnllyd, mor llachar a chwyddedig nes gwneud dyn dall a byddar ohonot.

Roeddet ti i fod i deimlo dy fêr yn oeri wrth feddwl amdani, dy gydwybod di'n troi a throsi. Ond roedd hi'n haws anwybyddu, dyna'r gwir plaen, yndê?

Roedd hi'n sibrwd weithiau hefyd. Ti'n gwybod sut un oedd hi, ddim isio tynnu gormod o sylw ati hi ei hun. Ond meiddia ddweud na chlywaist ti'r sibrwd hwnnw, yr ymbil truenus yn ei llais pan ddywedodd:

'Plis, plis callia.'

Roedd hi ar ei *gliniau*! Ond be wnest ti? Mynd o'r tu arall heibio, fel erioed. Anodd torri arferiad oes, tydi?

Roedd hi'n llawn hyd yr ymyl o obaith ac yn rhy faddeugar o lawer. Roedd hi wir yn credu yn ei chalon y byddet ti'n dod at dy goed ryw ddydd.

Ond mi weithiaist i'r gwrthwyneb a llifio'r coed i gyd i lawr. A doedd y rheiny ddim yn ddigon i dy gadw di'n gynnes chwaith, nag oedd? Felly mi losgaist dy nwy a dy olew a rhoi dy fysedd yn dy glustiau pan glywaist hi'n tagu.

Mi welaist y llinyn plastig yn tynhau am ei gwddf hefyd. Ti welodd y straen yn gryndod glas ar ei hwyneb a gwneud diawl o ddim byd. Os nad oedd hynny'n ddigon i dy ysgwyd o dy gwsg, yna pa obaith?

Roedd hi'n wael erbyn hynny ac yn synhwyro'r diwedd. Ond roeddet ti'n mynnu mwy ganddi, yn amhosib dy fodloni. Mi fynnaist y teclynnau a'r dillad diweddaraf i geisio llenwi'r angen diwaelod hwnnw tu mewn iti, a'u fflachio o flaen ei llygaid, jest o ran sbeit.

Be oeddet ti'n ei ddisgwyl, ddyn? Oeddet ti wir yn meddwl y byddai'n cymryd dy lol di am byth?

Wrth i'm calon waedu dros Dwrci a Syria, yn dilyn y daeargryn, cafodd Aya ei chanfod yng nghanol y rwbel. Aya: 'gwyrth' mewn Arabeg

Ganed Aya
i deulu marw,
y llinyn bogel
yn uno'r cwrdd
rhwng croth oer
ac anadl newydd.

Ganed hi
i banig eirias,
i rwndilio seirenau,
i fwrllwch, i faw,
yn fwndel parod
ar riniog
ffau'r llewod.

Ac er gwyrth
ei geni,
er her ei gwaedd
o'r wasgfa,
rhown holl aur
fy myd i gael
gogro'r drwg
o'i llygaid briw.

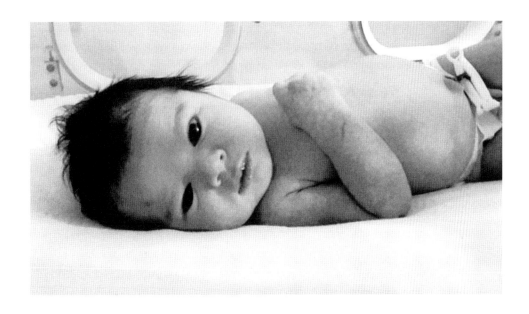

43/365 | Hap a damwain

'Nobody's free until everybody's free.'
Fannie Lou Hamer

Ddaru Nhad ddim troi ei drwyn pan ddywedodd y fydwraig mai merch oeddwn i. Rhoddwyd fi i orffwys yn nysgl ei freichiau, yn fwndel iach wedi fy lapio mewn gwyn. Gafaelodd ynof â gofal cyw dan lamp, a rhyfeddu. Chafodd siom ddim lle i anadlu yn yr ystafell esgor ar ddydd fy ngeni.

Ar yr un pryd, roedd hi yn rhywle yn anadlu'r byd am y tro cyntaf, ac roedd popeth yn geni o'i hamgylch. Gweld golau, cyffwrdd cnawd. Clywed ei mam yn wylo, a'i synnwyr cynhenid yn dweud wrthi nad wylo llawen mohono. Dyma sŵn baich yn cael ei ollwng ar genhedlaeth arall, dyma gri mil o obeithion yn darfod ar yr un pryd. Yntau wrth droed y gwely yn ysu am gael rhoi curfa i'w galon ei hun, yn casáu'r cariad yn ei churiad. Fiw iddo gymryd ati, ei ferch fach ben arall y gwely.

44/365 | Ar dy ben-blwydd yn chwarter canrif

I Dafydd

Dwi'n cofio canu yng Nghapel Brynengan am gariad fel y moroedd. Dychmygu cariad fel tonnau tal, mwy na fi fy hun. Hefyd fel llonyddwch distaw, lle imi arnofio, rhywbeth absolíwt odanodd i ddal fy mhen uwch wyneb y dŵr.

    Canu ro'n i bryd hynny. Diolch am gael ei fyw o heddiw.

45/365 | Piwiaid a drudws

Weithiau, mae sgwennu fel bod yng nghanol piwiaid yr haf. Y geiriau'n blith draphlith, bob sut, rwsut-rwsut. Eu sŵn nhw'n blydi niwsans, eu diffyg cynghanedd fel haint ar y glust. Ac mae bob dim yn afiach o boeth – y dillad yn glynu fel ail groen ar y corff, a'r synhwyrau i gyd yn stici fel dwylo hufen iâ plant bach.

    A phan fydd y sgwennu'n orchwyl fel hyn, a finnau'n teimlo'n flin, dwi'n fy atgoffa fy hun o'r ochr arall. Dwi'n fy atgoffa fy hun o'r adegau pan mae sgwennu fel bod yng nghanol y drudws. Pan mae'r geiriau'n patrymu, yn dawnsio'n ddigymell, a'r gynghanedd jest yn gweithio. Pan mae'r nos yn c'nesu fy nhu mewn fel y banad gyntaf ar ôl cyrraedd adra, yn llawn o hiraeth sy'n darnio ac yn trwsio ar yr un pryd.

Dyna hefyd ydi sgwennu.

46/365 | Ufuddhau

Ar ôl derbyn cyfarwyddyd i godi dos y steroid Prednisolone

Mae'r dabled mor fach. O wasgu'r pedair at ei gilydd, fasan nhw'n dal ddim mwy na maint ceiniog. Sut alla i ofni pethau mor bitw? Maen nhw'n dwyllodrus felly. Ar y tu allan, dwi'n gawr o'i gymharu, ond unwaith dwi'n eu llyncu, nhw sy'n tyrru drosta i, a fy nhro i ydi gwneud fy hun yn fach wedyn.

Dwi'n cofio fel ro'n i'n arfer teimlo fy nhu mewn yn rhoi o'u herwydd nhw. Teimlo ryw ollyngdod hyll yn yr enaid. Dwi'n cofio fel roedd y byd yn arfer hel llwch o fy nghwmpas, a finnau ddim efo'r egni, na'r awydd i redeg fy mys drosto i ddod â'r sglein yn ôl. A'r fath *wyllltineb*! Mi wnaethon nhw ddeffro'r anghenfil tu mewn, a finnau yn fy ngwaith yn trio'i gadw dan gêl.

Ond eto, dwi'n clecio'r pedair mewn un llynciad, a dwi'n dal ati efo fy niwrnod gan fygu'r rhwyg tu mewn imi mewn sgwennu, darllen, cariad, gŵyl a gwaith. Fiw imi orfeddwl y peth. Dydi'r sefyllfa ddim yn ddelfrydol, ond mae'r ochr arall yn saith gwaeth.

47/365 | Epiffani

Lle nad oedd iaith yn bod, do'n i ddim yn credu bod cariad yn bod. Heb roi sŵn i bethau – heb y llafariaid a'r cytseiniaid, y dôn a'r oslef, y ffordd o ddweud, y seibiannau yn y llefydd iawn – ro'n i'n credu bod ystyr yn cael ei golli'n llwyr, fel tywod yn llithro drwy ogor fy mysedd.

Ond wedyn, pan dwi'n meddwl yn ôl dros y blynyddoedd efo fy ieir, fy nghwningod, fy nghathod, *fy nghŵn!* Ac yn cofio'r manylion bach am Ladi Lwyd, Eban Siôn, Jini a Sali – y gang i gyd! – dwi'n stopio. Wnaethon nhw 'rioed dorri gair efo fi, naddo?

Mae'r sylweddoliad yn cawodi drosta i. Weithiau, mae'r pethau a'r perthnasau pwysicaf un yn bodoli y tu hwnt i afael iaith. 'Y pethau sy'n mynd drwy dyllau'r geiriau i'r gwynder distaw yw'r pethau pwysicaf,' meddai athronydd o awdur unwaith.* Ac wrth i Eldra, fy nghi bach, sbio arna i rŵan, dwi'n dallt.

Nid y geiriau sy'n dal bob dim, ddim go iawn. Mae tawelwch yn dal ei siâr hefyd.

*Aled Jones-Williams

48/365 | Spirit of the Blues

Mae o'n dweud wrtha i am y profiad cyntaf o fynd i'r stadiwm. Nabod neb, ond pawb fel un gŵr – y glas yn dir cyffredin rhyngddynt, a *Spirit of the Blues* yn briodas ar weflau bob un. Mae o'n ei chanu wrth imi sgwennu hyn rŵan, yn mynd i hwyl wrth i'r gytgan ddod yn nes.

Ac er ei fod yn dweud ei hun ei bod hi'n ffin denau rhwng caru a chasáu Everton ar brydiau – er y rhegi a'r myllio a'r pwdu ar ôl colli – mi fydd o'n driw iddyn nhw tra bydd o.

O fy mlaen, mae o'n edrych yn ôl ar *Match of the Day*. Mae o'n niwsans o frolgar, ond dwi ddim yn meindio. Roedd o'n haeddu ennill heno.

49/365 | Gwahaniaethu

Un peth sydd wedi fy helpu i ddod i delerau efo fy nhymer fy hun ydi dod i ddeall mai emosiwn eilradd ydi gwylltineb – dydi o erioed wedi bodoli ar ei draed ei hun, a tydi o ddim yn rhan gynhenid o bwy ydw i, fel mae fy nwylo a 'nghlustiau a 'nhraed yn rhan ohona i.

Mae'n bodoli, yn hytrach, fel cefnlen i boen, a wna i ddim dyffeio rhywun sydd mewn poen, gan fy nghynnwys i fy hun. Dyma pam ei bod hi mor bwysig rhoi enw ar boen rhywun, yn hytrach na rhoi enw ar eu hymddygiad o ganlyniad i'r poen hwnnw.

Mewn gair, felly, nid gofyn *Pam dy fod di'n flin?*, ond gofyn yn hytrach, *Pam dy fod di mewn poen?*

50/365 | Mohammed Aziz

'I've read more than 4,000 books, so I've lived more than 4,000 lives.'

Anodd dychmygu maint ei wybodaeth. Dwi'n disgwyl gweld ei gnawd yn bochio am allan, y croen yn methu'n glir â dal y ffigwr a'r ffuglen a'r ffaith sy'n llifo'n ddi-ball drwyddo, fel argae yn methu.

Ond dyn bach ydi o, yn gwisgo'i ddysg a'i ddeallusrwydd mor athronyddol dlws, ac eto'n wylaidd. Mae'n edrych allan ar y byd tu draw, ddim ond i drafod llyfrau ag eraill pan fydd galw. A 'nôl ag o wedyn at fywyd rhif 4,012, lle mae'n fabi blwydd unwaith eto, a'i amser ar y ddaear ond megis dechrau.

51/365 | Mae 'ngheg i'n grimp am grempog

Does yna ddim byd fel Dydd Mawrth Ynyd i wneud i'r Cymry sylweddoli ar gyfoeth prin yr iaith. Crempog, pancwsen, pancogen, cramwythen, ffroesen, poncagen, pincagen…

Hogan crempog ydw i, ac am wych o air ydi o hefyd. Mae o'n sbonc ar fy nhafod, fel naid ar drampolîn. Mae bob enw arall yn fiwsig i'r glust hefyd, ac mae pawb mor wahanol yn eu ffordd o gymryd eu crempog, mor warchodol o'u dull a'u *toppings* dewisedig. Wir, mae'n ddiwrnod digri o ddiniwed i astudio'r tebygrwydd a'r gwahaniaethau rhyngom ni, bobol.

Ond, mae'r darn hwn i'r rheiny sy'n ffafrio'r grempog denau, loeraidd dros y grempog fach, drwchus. Ac yn lle mynd am y surap neu'r Nutella, yn dewis llyfiad o fenyn, sbrencs o sudd lemon a chawod ysgafn o siwgr. Lapio'r grempog yn un rolyn hir wedyn, dewis pen a gadael i'r hud ddigwydd.

Dach chi'n sbesial.

52/365 | **Weithia**

Weithia,
dwisio llyncu'r byd yn gyfan.
Un gylp a phrofi'r cwbl
sydd gan y ddaear hen
i'w chynnig, fel ffisig
lond fy llwnc.
Gwneud tro da
ar freuddwydion,
gwneud y mwya
o'r oes hir, fer hon.

Dro arall,
dwi am adael iddo.
Cwtogi'r byd
i'r man gwyn o Gymru
sydd gen i, angori
fy hun ar ei glannau
a'i mynyddoedd hi.
Gwirioni'n llawn
ar drwch fy adra,
a byw ar gariad,
bodlonrwydd a llyfra.

53/365 | **Brain fog**

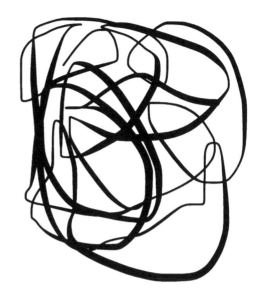

'Started making it,
had a breakdown,
bon appétit!'
James Acaster

Trio rhoi trefn ar gawl y geiria
fel trio datod cant a mil o g'ria.

54/365 | **gwneud/bod**

Mi 'nes i weithio wythnos lawn wythnos yma, a dwi mor falch ohona i fy
hun. Bythefnos ynghynt, 'nes i ddim gallu gweithio o gwbl, ac ro'n i mor falch
ohona i fy hun bryd hynny, hefyd.

Mewn byd lle mae gorweithio yn cael ei osod ar bedestal – lle mae'n cael
ei ramanteiddio a'i fawrygu tu hwnt i bob rheswm – dwi'n f'atgoffa fy hun ei
bod hi 'run mor anodd, os nad anoddach weithiau, i *fod* yn hytrach na *gwneud*.

Mae'n nod gen i i ymarfer teimlo'n fodlon ar ddiwrnodau o wneud dim
byd o gwbl nes bod hynny'n teimlo'n braf, fel gollwng fy hun yn araf i fath
cynnes, yn hytrach na theimlo'n oer, fel cefnfor yn cau amdana i.

Mae'n iawn, yn *fwy* na iawn – yn hollol, hollol angenrheidiol,
i lonyddu.

55/365 | Cennin Pedr

Deud i mi,
pa flodyn arall
sydd mor barod
i godi ei ben
at wyneb yr haul?
Sy'n dynwared
yr un llewyrch,
addewid
a hyder?

Maen nhw'n frychni,
yn tlysu moelni'r ardd,
yn dod i'r golwg
yn eu pwysau;
swil i ddechrau,
ond o dyfu'n
lawn blodyn,
mae'r lle, hyd-ddo i gyd,
yn wenau melyn.

56/365 | Angerdd

Mae o wedi bod yn edrach ymlaen at y daith i Lerpwl, ddim ond iddo fo gael
gwrando ar lyfr Audible am y ddwy awr drosodd fyddwn ni ar y lôn. *The*

History of Ancient Egypt 'dan ni'n gwrando arno fo tro 'ma, *mummification* yn benodol. Mae termau sy'n estron i fi yn cael eu taflu o gwmpas – *papyrus, tombs, men of Anubis…*

Dwi'n dallt dim. Dwi'n cael fy atgoffa eto 'mod i ddim wedi cael fy weirio i gymryd y math gymhleth yma o wybodaeth i mewn, a dwi'n damio yn ddistaw bach. Ond mae ei lygaid o'n llawn o lewyrch plentyn, mae o'n pwyso *pause* bob dau air i egluro ryw bethau imi, ac mae o'n nodio fel peth gwirion bob tro mae'r llyfr yn adrodd ffaith dda. Felly dwi'n dal i wrando.

Achos mae angerdd yn beth bendigedig o heintus, yn gwasgu'n braf ar y galon. Mae'n danllwyth o deimlad, ac o edrych arno eto rŵan, dwi byth isio gweld ei ddiffodd o.

Felly dwi'n dal i wrando.

57/365 | Hollt

Mae'n meddwl i'n fama –
yng nghanol sŵn Cynnydd,
dŵr tap sydd angen ei buro,
Uber Eats ar *speed dial*,
ambell gar, ambell gariad,
a wincio eofn goleuadau stryd.

A 'nghalon i'n fanno –
sŵn bref yr un hen fuwch o hyd,
panad yn fy nghwpan fy hun,
cyrri sbesial Cain,
ambell grawc, ambell gân,
a pheintio gwylaidd y machlud drud.

58/365 | Ddoe yn ôl

Ail lawr, Sid Watkins Building. Dwi'n nabod y ffordd fel cefn fy llaw. Adran yr *outpatients* heddiw, felly mae gwyn y waliau yn garedicach, does 'na'm ogla comôd na sŵn bipian tragywydd, a tydi marwolaeth ddim yn eliffant mor anferthol ei faint o fewn y muriau hyn.

Ond yn naturiol, mae'r meddwl yn dilyn ei drywydd ei hun, yn cofio fel erioed, a dwi'n cael darn o ddoe yn ôl. Ac er i'r chwerwder galedu 'nghalon i'n garreg bryd hynny, mi faswn i'n tynnu'r ferch honno i goflaid warcheidiol heddiw, a dweud wrthi bod yna gymaint, *gymaint* o ddaioni i ddod, a bod yna fan draw, mor ddedwydd, tu hwnt i'r man gwyn hwn.

59/365 | Cywilydd

I mi,
sy'n ddiarth i'r ddinas,
dydi fy mynd a dod defodol
ddim yn dirnad
hyd a lled
y distryw.
Mae'r cydwybod
yn dawelach peth
adra, y gnofa'n
rhoi llonydd –
lle bu edliw,
tawelwch sydd.

Ond yma,
drwodd a thro,
mae'n strancio,
yn gwasgu fel gefail
ar dynerwch cof.
Dwi'n gwyro, yn rhoi
fy nghardod crynedig
yng nghwpan ei ddwylo,
sy'n archolledig
gan gwysi ymbilio.

Dwi'n codi,
yn dychwelyd at fy nhro;
mae'r dagrau'n boeth,
ond gwaeth ydi'r gwrido.

60/365 | **Mochel**

Cerdd o ddiolch i lyfrau

Dwi'n agor dau glawr
a chamu i fydoedd
sy'n gadael imi fochel
rhag fy nrycinoedd.

Dwi'n llowcio'r stori,
yn anwylo'r geiria,
yn nofio mewn lledrith
gan ymgolli'n yr olchfa.

Bydd realiti'n aros,
yn llygadu'r amser,
ond heno, byd llyfr
sy'n well o'r hanner.

61/365 | Tynnu llinell

Weithiau, a dim ond weithiau, mae'r arwydd sicraf o gariad yn dod o dynnu llinell dan y cwbl – gadael iddo, ffarwelio – a magu plwc i ddysgu sut i garu eto.

62/365 | Orig fer

Mae 'na orig fer, yn y môr, pan fydda i'n teimlo fy meddwl a 'nghorff yn ysgwyd dwylo. Dim tynnu stumia na thrio baglu ei gilydd. Mae'r ffrae yn gwagio ohona i, a chyfamod tawel yn fy llenwi.

   Fydda i'n troi at fy nhywel maes o law. Dyna'r her fwyaf, trio sychu a thynnu a gwisgo a stretsio defnydd, a hynny heb i flew a brestia ddangos eu hunain i'r byd bob ochr imi. Dwi'n tuchan a chwerthin nes bod y dillad ymlaen, a thywod yn crafu mewn llefydd anffodus. Ond dwi'n ei wneud o i gyd ar fy mhen fy hun, er fy mwyn fy hun, a dwi 'rioed wedi teimlo'n dlysach.

63/365 | Canolfan Tŷ Newydd

Am y ffaith fod gan yr adeilad wyneb ymffrostgar, ond bod y tu mewn yn gwbl wylaidd

Mae'n daclus, fesuredig,
llawn brafado yn ôl y si;
ond y craidd sy'n feddal, dyner,
a'r golud sydd lond y tŷ.

64/365 | Cartref

I'r plant

Mae Jac yn byw mewn tŷ teras,
Jo mewn tŷ sengl, mawr,
mae gan Josi ardd liwgar a chrand
i'w dyfrio ar doriad gwawr.

Ted sy'n byw ar ben mynydd
a Twm sy'n byw yn cefn pentra,
Tilly sy'n honni bod ganddi balas
a Tami sydd o ganol nunlla!

Er bod cartref pawb yn unigryw,
beth sy'n debyg rhyngom i gyd
yw'r waliau a'r to uwch ein pennau
i'n cadw ni'n saff yn y byd.

65/365 | Pegynu

Yn dal i ddysgu ei bod hi'n iawn imi fod yn gyforiog o gariad a goleuni, a
pharhau i gael dyddiau diawledig.

'Mom, I am a rich man.'
Cher

I'r sawl a ddaeth o fy mlaen,
i'r rhai sydd efo fi rŵan
ac i'r fintai sydd eto i ddod;
diolch.

Diolch am gael bod
yn un ohonoch –
yn un sy'n gadael
i'r galon waedu
a thasgu petalau
a thanio bwledi.

Ac i bob bell hooks, Beauvoir,
Steinem a Friedan
ddyry gychwyn hyn
o blyg eu cwman;
diolch am gael sefyll
ar sgwyddau cryfion,
i'm trem allu cwrdd
â llygaid dynion.

67/365 | Busnes anorffenedig

I'r rhai sydd ar eu gliniau, wedyn, gadewch imi ddweud hyn;
er mod i'n sefyll, dydi'r osgo ddim yn gadarn. Wna i ddim fy nghario fy hun yn dal tra bod gorthrwm merch arall yn bod. Mae'n fadredd dan groen, hen grachen ar gydwybod na alla i ddim peidio ei phigo.
O achos mai fi ydi *bob* merch – ar wahân, ond yn anwahanadwy hefyd. Wna i ddim perchnogi'r sefyll tan ei bod Hi, *bob* Hi, dros y byd, yn sefyll bob ysgwydd imi.

68/365 | Joseph Lorusso

Mae 'na ddiben tu cefn i bob brwsiad o baent. Os fasa'r symudiad neu'r pwys ar y brws wedi bod fymryn yn wahanol, yna byddai stori'r llun yn newid i gyd, hefyd. Mae'r broses mor brydferth o fwriadol, mor ofalus o ddiwastraff.
Mae'n peintio gyda thynerwch blaen pluen, yn dal y gollyngdod rhwng dau, yr union eiliad honno lle mae'r rhagfur yn disgyn a'r cyrff yn rhoi, gan feddalu i'w gilydd. Ac mae'r stori yn union fel y dylai fod – yn gysglyd, cartrefol, ac yn hyfryd o hawdd i'w darllen.

Snakes and Ladders

*'It's unbelievable how much you don't know
about the game you've been playing all your life.'*
Mickey Mantle

Dyfyniad sy'n agor y ffilm *Moneyball*. Dwi'n dal yn ôl rhag dadansoddi tan y diwedd, er bod y geiriau'n ddarn Lego yn fy esgid, yn ei gwneud hi'n anodd anwybyddu, ac anoddach byth i beidio â rhoi stop ar bob dim ac archwilio.

Mae hi'n ffilm anhygoel, yn dal y rhamant platonig, prin hwnnw sy'n perthyn i chwaraeon. Ac mae'n wir, mae rhywun yn gallu caru'r gêm fel caru brawd, ffrind, ci – mae'n gallu bod cyn bwysiced â dim wrth godi muriau hunaniaeth.

Ond y dyfyniad. Gêm o Snakes and Ladders ydi'r gêm dwi wedi bod yn ei chwarae, erbyn meddwl. Pan fydda i'n teimlo 'mod i'n dechrau ymgyfarwyddo, yn codi'n uwch ar yr ysgol, dwi'n teimlo synnwyr a phwrpas yn dod drosta i. Dwi'n *dallt* y drefn, yn maddau iddi hefyd. Ond yna, cam arall ymlaen a lawr y neidr â fi, yn ôl i bydew o anwybodaeth, yn rhegi'r rheolau wrth lithro'n nes at y gynffon.

Ond heno, fel ambell dro o'r blaen, dwi'n dod fymryn yn agosach at ddallt 'mod i *ddim i fod i ddallt*. Os ydi bywyd yn gwestiwn, oes wirioneddol rhaid dod o hyd i'r ateb? Pam na alla i wneud bywyd yn haws a jest byw o fewn y cwestiwn ei hun?

Onid dyna'r holl bwynt, beth bynnag?

70/365 | Bwrw'r Sul

Y dydd Sul mwyaf Sulaidd o'r holl ddyddiau Sul.

Mae'n ddwl, yn oer, y glaw yn poeri ac yn stillio am yn ail, a'r haul yn rhy oriog i rannu ei wres efo'r dydd.

Ond ro'n i angen hwn heddiw – diwrnod o blygu i'r storm ac aros dan do, coroni'r wythnos drwy gau drws ar y byd.

Dwi'n coginio i flasu'r gic wrth lwyo'r bwyd i 'ngheg, yn pobi i deimlo toes rhwng bys a bawd, yn gwatsiad rils o gŵn, yn hel mwytha ac yn rhedeg bath.

Ac efo bob dim braf dwi'n ei gyflwyno i'r dydd, mae briwiau anodd yr wythnos a fu yn dechrau mendio, y croen yn trwsio.

Tu allan, mae'r storm ar ei hanterth, fel teciall yn hisian, ond mae hi'n dawel tu mewn. Mi alla i greu fy hindda fy hunan.

71/365 | Sebra

Dwi'n niwsans yn y ffaith na alla i wrando ar ddim byd wrth weithio. Mae'n rhaid imi gael mygu bob smic, neu mae'r meddwl yn or-effro i bob dim. Ond roedd pnawn heddiw'n wahanol, roedd yn rhaid imi dafoli fy sylw rhwng dau beth – gwaith a Radio 2.

'Nes i diwnio i mewn yn fuan – ddim isio colli dim byd – a gwrando ar ddibendrawdod y dadlau dros Gary Lineker, costau meithrinfeydd, enwau llefydd anodd i'w hynganu ac yn y blaen ac yn y blaen. Yna, mi drodd y sgwrs at Medical Monday efo Dr Sarah Jarvis.

Mi deimlais i'r emosiwn yn chwyddo tu mewn imi'n syth – rhywbeth yn agor am allan ac yn ymestyn ei hun yn osgeiddig, fel blagur gwanwyn.

Roedden nhw'n trafod Myasthenia Gravis, rhywbeth ro'n i ond wedi'i glywed yn cael ei drafod rownd y bwrdd bwyd adra, yn stafell fy arbenigwr ac yn dragwyddol yn fy mhen fy hun.

Roedd o'n teimlo fel petawn i'n cael fy ngweld mewn drych *full-body* gan y byd, a bod holl drwch fy mhrofiadau yn cael eu dilysu wrth i bobl syllu ar fy adlewyrchiad. Roedd y sgwrs yn un o gydnabod, o gydymdeimlo, o oroesi a gobeithio.

Mi ddywedodd Dr Jarvis, rywbryd yng nghanol ei sgwrs am *receptors* a *thymoma* ac *acetylcholine*, mai un ym mhob 6,000 sy'n derbyn diagnosis o Myasthenia Gravis. Yn y byd meddygol, meddai, mae 'na lond lle o geffylau, ond weithiau, mi ddaw 'na sebra i'r golwg. Fel yn achos Myasethenia Gravis. Fel yn f'achos i fy hun.

Ac er na alla i ei ddweud o bob diwrnod, mi alla i ddweud heddiw 'mod i'n gwisgo fy streipiau efo balchder lond fy nghalon.

72/365 | Custard Creams

Custard Creams. *Crème de la crème* y byd bisgedi, bob cegiad fel naid ar gwmwl, a dydi Bourbons ddim yn haeddu cael eu trafod yn yr un frawddeg â nhw. Dwi'n byta saith ar un gwynt, cofio wedyn eu bod nhw hyd yn oed yn well o'u dowcio mewn panad, felly pedair arall i'r diawl.

Dwi ddim wedi bod yn ffyddlon dros y blynyddoedd – wedi treulio fy mhlentyndod yn wirion am Pink Wafers, cyn symud at y frechdan Digestives (dwy Digestive efo trwch o fenyn iawn yn y canol), ond dwi rŵan wedi gweithio fy ffordd yn ôl at y fisged sydd mewn cae ar ei phen ei hun.

Pan mae 'na rywun yn teimlo'n fflat, mae'n ddefod gan bobl i gynnig panad ac wbath bach i godi calon. Mae'n gynnig cynnes, yn llawn o adra. Gweithred fach, mor anhygoel o fawr.

Panad a Custard Cream(s!) ydi fy mhanad ac wbath bach i.

73/365 | Torri'r pren mesur

Un peth sy'n gwneud imi golli calon ydi pan mae pobl yn dweud wrtha i eu bod nhw isio sgwennu, ond nad ydyn nhw'n teimlo bod ganddyn nhw unrhyw beth o werth i'w ddweud.

I mi wedyn, mi alla i sgwennu am y llawdriniaeth ges i i dynnu tiwmor oedd wedi glynu ar fy nghalon, neu mi alla i sgwennu am y tro cyntaf imi gymryd cegiad o *lemon meringue* Mam, a gweld yr un gwerth yn y ddau beth.

Be dwi'n drio ei ddweud ydi ei bod hi'n bwysig dal yn ôl rhag meddwl bod yna bren mesur yn bodoli pan mae'n dod at brofiadau bywyd. Creadigrwydd ydi gallu tynnu'r gwerth o bethau ymddangosiadol fach a chreu mawredd ohonyn nhw.

Ti'n cofio dal blodyn menyn o dan ên dy ffrind i gael 'tystiolaeth fanwl gywir' o'u teimladau at fenyn? Sgwenna am hynny. Gest ti brofiad anffodus yn trio gofalu am fochdew erioed, fel hanner y boblogaeth? Rho'r profiad ar bapur.

Ac am y gegiad gyntaf yna o *lemon meringue* Mam, mi ddyweda i hyn: Fel brath o gwmwl, yn rhyfeddol o ysgafn, fel coflaid lond fy ngheg. Digon o gic gan y lemon, digon o felystra gan y siwgr i ddofi'r chwerw, a digon o gariad mamol i briodi'r cwbl.

74/365 | Scrat a'r fesen

Oeddech chi'n gwybod bod gan y wiwer yn *Ice Age* enw? Scrat. A bydda i'n meddwl am Scrat yn aml, gan fy mod i rŵan wedi cyrraedd y lefel o sensitifrwydd lle dwi'n poeni am heriau bywyd cymeriad sydd wedi ei animeiddio.

Ac ella fy mod i'n wirion, ond mae ei weld o'n trio crafangu ar y fesen 'na, gerfydd blaenau main ei winadd, fel tasa fo'n crafangu ar ei einioes ei hun, yn rhywbeth i'w edmygu. Mae'r fesen am y gorau i lithro o'i afael, ond rhywsut, mae Scrat yn offrymu bob rhan o'i fywyd i ddilyn y fesen i bellafion byd os oes rhaid.

Ac os dwi'n mynd yn bellach a meddwl am symboliaeth, dwi'n meddwl mai fy mesen i mewn bywyd ydi rheolaeth. Wastad yn trio crafangu arno fo, wastad yn ei deimlo fo'n gwasgu ei ffordd yn rhydd wrth i 'ngafael i dynhau.

Ond yn wahanol i Scrat, dydi fy nghrafangu i ddim yn rhywbeth i'w edmygu. Mi fuodd yn rhaid imi golli rheolaeth ar bob dim i sylweddoli mae'r *gollwng* gafael ydi'r weithred sydd angen ei hedmygu. Achos er bod yna bethau o fewn fy rheolaeth, mae 'na bethau eraill, mwy na fi fy hun, na alla i eu rheoli o gwbl.

Mae dod o hyd i heddwch yn y ffaith honno yn rhywbeth mae rhywun yn gorfod gweithio arno gydol ei oes. Ond yn ara bach, dydi'r fesen ddim efo'r llaw uchaf ddim mwy, a dwi'n teimlo fy nghrafangu'n dechrau llacio.

75/365 | Potel ddŵr poeth

aka Eldra ar fy nglin

Mae'n lapio'i hun
yn belen dynn,
lwynogaidd,
cyn gollwng
ei hun fel carreg;
yn llaesu bob cyhyr,
llyfnhau bob synnwyr.

Dwi'n studio'i hanadl
dan y flanced –
y codi a'r gostwng
fel mynd a dod
y môr blygain Mai.
Dwisio gorwedd
yn yr un dŵr,
mynd ar goll
yn y digynnwrf.

A'r gorau i gyd
ydi'r c'nesrwydd –
Mae'n treiddio
dan groen,
yn mwytho
bob cornel,
ei gwres, fel erioed
yn torri pob oerfel.

76/365 | Ioga

Dim cystadleuaeth,
dim rhaid bod y gora,
dim cadw cownt
na chwysu chwartia.

Jest gwerthfawrogi'r corff,
ei slicrwydd a'i afrosgedd,
bod yn un efo'r eiliad
yn lle rasio at y diwedd.

Ac wrth symud yn fy mhwysa
o'r *downward dog* i'r *cobra*,
dwi'n sibrwd fy niolch
i'r corff dwi'n ei alw'n adra.

77/365 | Blew

'I'm sorry to report that I have a moustache.'
Nora Ephron

Dwi'n cofio'r tro cyntaf i rywun ddweud wrtha i bod gen i fwstásh. Cofio lle
o'n i, pwy oedd o. Mi ddeudodd fod gen i *monobrow* hefyd, *for good measure*.
Blwyddyn 8, ac efo…
    blew (!)

Mi es i rownd y genod oedd yn adnabyddus am gario *make-up* efo nhw yn eu bagia Rip Curl a mynd ar fy nglinia, fwy neu lai, yn erfyn am gael menthyg *tweezers*. Doedd gan neb rai, ddim hyd yn oed y genod pryd tywyll. Ond roedd gan *bawb* Dream Matte Mousse, wrth gwrs. Stori arall, *I digress*. Es i'r swyddfa amsar cinio a deud fy mod i'n pibo, ddim ond i gael mynd adra i sortio'r blew. Does yna neb yn cwestiynu pibo.

Dwi'n gallu chwerthin rŵan, ond mae fy nghalon i'n gwaedu drosti hefyd, wedi'i chyflyru mor ifanc â hynny i feddwl bod blew yn felltith. A wnaeth o ddim stopio, chwaith. Dwi'n cofio fel roedd pawb yn gorfod mynd i nofio, ym Mlwyddyn 8 hefyd, oedd yn artaith i fi achos fy mod i'n un peth yn methu nofio, yn ail, yn cael fy herio am fy niffyg brestiau ac felly'n ddiamddiffyn heb *padding*, ac yn drydydd, doedd gen i ddim syniad be oedd y gora – piwbs 'ta rash ffyrnig rownd rhimyn y siwt nofio.

Ac er nad ydi'r feddylfryd wedi sticio wrth dyfu i fyny a phoeni llai, mae cofio 'nôl yn dal i yrru pang o banig drwof i, a phoen. Ond ben ac ysgwydd uwchben hynny, mae'r cywilydd. Cywilydd o wybod nad oedd fy nghorff, yn ei stad naturiol, ddim yn naturiol o gwbl yn llygad y byd, ac mae fy lle i oedd ei newid.

78/365 | Sul Mamol

Mothering Sunday

Mae Sul y Mamau wastad wedi bod yn chwithig i mi, hyd yn oed fel un sy'n ddigon ffodus o gael mam mor sbesial yn y synnwyr confensiynol.

Ro'n i'n cnoi ar yr holl beth y bore 'ma wrth fynd drwy fy nyddiadur, a dyna pryd welais i'r geiriau 'Mothering Sunday'. Ddaru 'na rywbeth jest clicio, roedd o'n gneud gymaint o synnwyr.

Achos mi allith rhywun fod yn famol, ond yn ddi-blant. Mae'r rhai sy'n trio – ac yn torri ychydig mwy bob tro maen nhw'n methu, neu'n colli – hefyd yn famol. Mae 'na dadau sy'n dadol *ac* yn famol, mae 'na rai heb berthynas efo'u mamau, ond yn gweld mam mewn rhywun arall – mae hon yn berthynas i'w dathlu, hefyd. Ac mae 'na gymaint mwy na hynny, cymaint o berthnasau hybrid, hylifol, hyfryd.

Wrth gwrs, mae angen dathlu'r mamau, ond dwi'n cymryd heddiw i ddathlu'r mamol hefyd.

79/365 | Gadael y geiriau

Dwi'n dweud wrtho nad oes geiriau heddiw. Dydi fy meddwl ddim yn dda, ac mae'r dydd yn pwyso gymaint nes 'mod i'n teimlo'r llawr yn tynnu. Dwisio cysgu ei weddill o a thrio eto fory.

'Paid â thrio eu gwasgu nhw allan.' Mae'n cynnig y gymhariaeth o drio gwasgu past dannedd drwy wddw'r tiwb, a chael diawl o ddim o werth ohono fo yn y diwedd. Dyna ydi gorfodi geiriau.

Mae'r gymhariaeth yn saff, yn rhoi o-bach i fy meddwl brau. Dwi'n gadael y geiriau a throi i gysgu.

80/365 | Twll nadroedd

Hunllef ro'n i'n ei chael yn aml yn Alder Hey, ac sy'n dod yn ôl o bryd i'w gilydd

Pan fydd hi fel hyn,
cwsg i mi
ydi cael fflich
i dwll nadroedd.
Chwilio am sgrech
o fol y diddymdra
wrth i'w cyrff gordeddu
o gylch fy ffera.

A ffeindio 'run smic,
ddim y cysgod lleia
o sŵn i ddynodi
'mod i lawr yn fama.
Ac o'u cael yn cosi
fy ngwddf, dwi'n cyffio,
ac yna, fy ngwaedd
fy hun sy'n fy neffro.

81/365 | **Adnabod**

Rho imi lyfr i'w hawlio,
i'w farcio â phensil drwyddo.
Yn sêr, yn galonnau,
yn 'O! Dwi'n tanlinellu hwnna!'
A chorneli'r tudalennau'n
blygiadau i gyd,
i nodi lle mae sgwennwr
wedi dal ryw hud.

Gwell fyth yw llyfr wedi'i basio
o law i law, ers cyn co'.
Yn farciau cyn i mi fod yma,
dieithryn fu'n garwr geiria.
A'r gorau yw ei gael yn marcio
lle byddwn innau'n gwneud fy hun,
a thrwy hynny, mae llinyn arian
yn ein clymu ni'n dau yn un.

82/365 | **Mewn breuddwyd**

Pan fydd ril y cof yn mynd â fi i dir breuddwydion, lle ma bob dim yn sbynji,
bob congl lem wedi'i chlustogi, dwi'n teimlo'n hun yn ifanc.

Dwi'n ifanc rŵan, ond yn fy mreuddwydion dwi ym mlodau fy neg oed
eto. Dwi ar yr iard ym Mhont-y-gof, yn trio gwerthu buwch goch gota o

botyn jam i fy ffrindiau. Dwi'n codi deg ceiniog amdani. Does 'na neb yn prynu.

Dwi'n gwneud den tu ôl i'r cwt torri coed ym Mellteyrn. Mae 'na goed gwythiennog yno, ac afon sy'n gorfod cael help cawod drom i dagu dŵr. Dwi'n dod o hyd i nyth aderyn. Mae o wedi'i lunio mor gain, y pigau main yn grefftus wrth eu gwaith.

Mi fydda i hefyd yn cuddio yn y tesi gwair ym Mrychyni, yn cael ras at yr afon, neu'n swcro'r llwyth diweddaraf o gŵn bach Meg. Weithiau, ym Mochras wedyn, yn chwarae tŷ mewn hen drelar neu'n chwarae Tag ar ben big bêls.

Ac mae'r byd ar agor, led y pen, fel agor map a smwddio bob plygiad ohono. Ac wrth ddechrau llithro i ryddid mawr fy mabinogi, mae'r freuddwyd yn datod, yn ffarwelio cyn imi fod yn barod,

a dwi'n deffro.

83/365 | I'r rhuddin

Am dipyn – wn i ddim am ba hyd – dwi am fynd yn ôl ata i fy hun.

Cylchoedd ydi bywyd a byw, a dwi'n gweld fy hun fel canol coeden sydd wedi ymestyn fy hun at y cylchoedd mawr, mawr.

Dydi hyn ddim yn beth drwg bob amser. Ond i fi, yn y rŵan hyn dwi'n byw ynddo, mae'r amser wedi dod i fynd yn ôl at y rhuddin.

Ar ôl i'r gân 'Adre' ddechrau chwarae yn fy mhen i heddiw –
Caryl Parry Jones, fersiwn Rhys Meirion ac Al Lewis

Daeth y nodau
yn ôl imi heddiw,
ac fel codi crystyn briw,
daeth yr atgof
fel oen dof
i'w canlyn.
Finnau wedyn
fel oen amddifad,
yn ddiamddiffyn
wrth i ddoe ailgydiad.

A dwi'n teimlo'r
geiriau yn swingio
amdanaf.
Dwrn y dweud
yn cleisio,
brath y boen
yn gwingo
fel rhywbeth byw
dan groen.
Ond *eto*…

Eto,
rhywle rhwng
y pangau,
mae'r cofio'n
dechrau brifo'n
brafiach, rywsut.
Daw pocedi
o dynerwch
i'r wyneb o'r eigion,
ac eto, daw cariad
i fela fy nghalon.

85/365 | Tro'r rhod

Roedd yna rywbeth am heddiw.
Anadl ddofn y tir
yn clirio'r crygni
o'i sgyfaint,
yn llnau'r llwch
a'r llymdra –
rhoi'r cwbl lot
i'w gadw
dan glo
dan gaea nesa.

A bob anadl wedyn
yn iachach,
yn ddeffroad,
yn lechan lân
i ddechreuad.
Finnau'n ei ganol
yn teimlo tro'r rhod,
ac efo'r tir anadlais
o waelod un fy mod.

86/365 | **Tangelo**

Cân Red Hot Chili Peppers (cân haf 2022)

Dyma gân am gariad,
y geiriau'n dal y deoriad
pan oedd y byd
yn desog, addfwyn,
fy nhu mewn
wedi'i liwio'n felyn;
chditha, dy law ar y *steering*
yn canu am deimlo fel brenin.

Yr haf hwnnw
oedd fy heddwch mwyaf.
Haf i'r meddwl sadio,
haf o ddawnsio
i guriadau anghofio.

Ac eto, haf sy'n dychwel,
mae'n smwddio'i ddillad gora,
a ffwrdd ag o i nôl ei haul
o ben pella'r twll dan grisia.

Dwi'n gwenu, yn deffro,
mi ga i ei wneud o i gyd eto;
Dim ond chdi a fi
a'r gân 'Tangelo'.

87/365 | **Gorbryder**

Does gen i mo'r ateb cywir. Wna i ddim dweud wrthat ti ei bod hi'n well trio
a methu na pheidio â thrio o gwbl, achos mae pethau fel 'ma'n rhy flêr i'w
datrys yn daclus mewn dyfyniad ysbrydoledig.

Ond dwisio iti wybod ei bod hi'n hollol iawn iti deimlo'r rhwystredigaeth
i gyd, bob mymryn olaf ohono. Mae o wedi dy ddal di ar y slei eto, do? Ac
mae'n teimlo fel yr eiliad honno, rhwng cwsg ac effro, lle mae dy gorff yn rhoi
oddi tanat a ti'n disgyn, disgyn,

cyn i dy ochenaid dy sgytio, ac ar amrantiad, ti'n deffro, gan ddiolch yn
dawel bod y gwely'n dy ddal yn sownd i'r ddaear.

Nid eiliad mo hyn, mi wn i hynny, ac efallai bod hon yn gymhariaeth sobor
o rad ar ei hyd. Achos mi rwyt ti'n *dal* i ddisgyn, disgyn,

ond be dwi'n drio'i ddweud ydi, mi ddaw yr ochenaid eto, a'r sgytio. Mi
deimlith fel deffro, a dwi'n addo, bryd hynny, bydd ofnau dy fyd ar drai.

88/365 | y botwm coch

Cerdd Bardd y Mis

Ty'd laen, pwysa fo!
Ond be os ga i fy nghipio?
Fy nghymryd oddi yma,
o'r lle dwi'n alw'n adra.
Fy nhroi yn fwnci blewog,
neu'n llyffant hyll a mawr!
A be os ga i fy mwyta'n fyw
neu 'ngwasgu dan droed cawr?

Ond be os gei di antur?
Yr antur fwyaf un!
Lle mae bwrlwm a digonedd,
a phawb yn byw'n gytûn.
Cei reids ar gefn deinosoriaid,
a nofio â physgod chwim!
Mi ddoi di'n giamstar ar hela
a chynnau tân mewn dim!

A be os ddyweda i hefyd
ar ôl dy drafals maith,
bod botwm yn dy ddisgwyl
i fynd â thi ar daith
yn ôl i'r lle bach hwnnw,
sydd iti'n werth y byd –

i'r lle ti'n ei alw'n adra,
at deulu fydd yno o hyd.

Ty'd laen, pwysa fo!

89/365 | Bysedd mwyar duon

Porffor oedd y diwrnod hwnnw. Nid piws, porffor. Un o fy hoff eiriau erioed, yn gryndod byw yn fy ngheg wrth ei ynganu. Por-ffor.

Hel mwyar o'n i. Ro'n i'n cael trafferth cynnal fy mreichiau i'w pigo, ond ro'n i angen gadael y tŷ a chadw fy nghalon yn brysur. Yr un hen rwyg rhwng fy iechyd corfforol a meddyliol, y pwyso a mesur oedd yn ddraenen ddofn yn fy meddwl yn dragwyddol.

Roedd y dydd yn biwis o boeth ac yn syndod o llonydd. Roedd podlediad Elizabeth Day yn chwarae ac roedd Eldra yn tyrchu drwy'r mieri am lygoden yr ŷd. Sbio ar ei synhwyrau yn agor a miniogi ro'n i pan ganodd y ffôn.

Dwi'n cofio sbio ar fy nwylo wrth imi fodio'r sgrin, yn olion mwyara drostynt, yn borffor o liw gwinau. A llais Mam wedyn yn dweud eu bod nhw wedi ffonio, fy mod i'n cael y driniaeth, a minnau'n crio fy anghrediniaeth dros y lle yn hyll, yn gofyn 'Ti'n hollol siŵr?!' gant a mil o weithiau tan i'r sicrwydd fy sadio.

A dyma fi heddiw, dair blynedd yn ddiweddarach, yn derbyn yr un alwad eto. Dwi'n cael y driniaeth, a'r fraint o wella. Ac yn fy meddwl, dwi'n cyfarfod y fersiwn ohona i dair blynedd yn ôl eto, a 'dan ni'n cofleidio.

Mae gweddill y dydd yn felaidd, fwyn, ac yn borffor bysedd mwyar duon drosto.

90/365 | Digon i'r dydd

Mae 'na ran fawr ohona i isio gorffen arni, traed i fyny a sbio efo llgada sêr ar be 'dan ni wedi'i greu.

Mae 'na ran fwy ohona i'n disgyn mewn cariad efo'r broses, y dysgu wrth fynd ymlaen, y mistêcs diawledig, y dethol gofalus, gofalus, a llenwi'r lle a 'nghalon efo petha neis o Anthropologie ac Oliver Bonas (adran sêl).

Proses ydi hi, a diwrnod côt o baent oedd heddiw. Ac er bod 'na gythraul ynof isio dal ati tan oriau mân y bore, isio cyrraedd pen arall y broses mewn chwinciad, 'nes i oedi.

Atgoffais fy hun na fyddai 'na dro arall i hyn, dim pan mae'n dod at roi ein cartref cyntaf at ei gilydd. Hwyrach fydd 'na gartrefi eraill, ond nid y cyntaf. Dwi'n sentimental fel'na – dyma'r lle welodd ddechra bob dim, a ddaw hynny ddim yn ôl.

Dwi'n golchi'r brwshys ac yn rhoi'r teciall i ferwi. Dwi'n gwthio'r man gwyn, man draw i ffwrdd am heno, yn setlo ar yr amherffeithrwydd – yn cymryd ato. Dwi'n gwrthod brysio.

91/365 | Newyddion

Mae'r stori glic ar sgrin i ffwrdd.
Dwi'n hofran fy mys,
ond efo brys
dwi'n dechrau sgrolio eto,
yn troi'r tu arall heibio.

A dwi'n damio'n dawel.
Pwy dwi i smalio
bod yn wâr a dyngarol,
tra'n gwisgo f'anwybodaeth
fel siôl warcheidiol?

Ond eto,
mae deall tu mewn imi
bod mwy iddi na hynny.
Bod gen i galon niwsans,
bregus fel gwydr,
a meddwl sy'n gyndyn
o ddod 'nôl o'i grwydr.

92/365 | Glas ydi lliw rhyddid

Gwyliau 'rysgol yn blentyn

Roedd 'na gloc mewnol,
yn doedd?
Ei goesa pry copyn
yn symud yn slo,
yn llusgo fel llipryn,
isio sgytwad arno.
A'r plentyn tu mewn
isio bod y tu allan,
yn gloywi wrth feddwl
daw gwyliau'n 'o fuan.

Ac o glywed y gloch,
ei deimlo'n syth bìn,
y teimlad, ers hynny,
sydd imi mor brin:
bydd fory'n las gola,
yn gynnes fel addewid,
a'r diwrnod i gyd
yn drybola o ryddid.

93/365 | Blaen y nodwydd

Mae 'ngwythiennau i wastad wedi bod yn rhai am guddiad. Dwi'n yfed peintiau o ddŵr, yn cadw fy hun yn gynnes ac maen nhw'n gosod strap mor dynn am fy mraich nes iddi galedu'n graig ac araf droi'n lliw lapis laswli. Eto, dim lwc.

A phan maen nhw'n mynd amdani, y *prominent vein* a'i gobaith brau, mae hi'n rhoi naid, yn deifio, bron, yn ddyfnach at y bôn. A dwi wastad yn meddwl bod hynny'n anhygoel. Gallaf daeru ei bod hi'n gallu synhwyro blaen y nodwydd – ei phigyn blin a'i thyllu brwnt – ac felly'n ei harbed ei hun.

Felly fi, hefyd. Mae rhywun yn gallu synhwyro drwg pan mae ar ei ffordd, tydi? A dwi inna'n osgoi blaen y nodwydd efo holl nerth fy mod – ymateb cyntefig. Ond ofer ydi hynny oherwydd mewn bywyd, mae'r wythïen wastad am gael ei tharo, ac mae'n rhaid i'r gwaed lifo.

94/365 | *Clashing prints?* Cei

Ti'n cofio'r genadwri
bryd hynny?
Doedd fiw iti wisgo coch
a phinc, ac fel inc
roedd y neges yn taenu
dros dy grebwyll gwyn,
yn dannod iti fod yna
ffordd benodol o 'fod' –
'Bydda'n chdi, ond fel hyn.'

Ond mi glywi rŵan
bod coch a phinc yn *chic*,
ac mae 'na glic yn digwydd,
ceiniog yn disgyn.
Yn y byd o brynu a gwerthu,
ti'n deffro ac yn dysgu
nad oes 'na reol wrth fynegi
drwy ddillad, pwy'n union wyt ti.

95/365 | Cyfoeth

Dwi'n gyfoethog heddiw, nid mewn papurau pres na phunnoedd, ond mewn awyr lân, irder daear ac antidot o olau haul.

| # Dwi'n pwyso: (anorffenedig)

- Dwi'n pwyso faint o gariad trwm, eang a chynnes dwi'n ei gario yn fy nghalon bob dydd.
- Dwi'n pwyso'r ffaith 'mod i'n trio cadw'r cariad hwnnw'n dynn, hyd yn oed ar ddyddiau drwg. Yn enwedig ar y dyddiau hynny.
- Dwi'n pwyso'r arferiad o ddweud wrth fy nghariad ddreifio'n ofalus efo rhew, glaw neu oleuni'r bora.
- Dwi'n pwyso'r ffaith 'mod i'n gwbod sut mae pawb dwi'n garu yn licio eu te (panad Mari sy'n edrach waethaf).
- Dwi'n pwyso'r egwyddor 'mod i'n rhoi, heb ddisgwyl dim yn ôl.
- Dwi'n pwyso'r gred mai bod yn garedig ydi'r rhinwedd bwysicaf un.
- Dwi'n pwyso fy chwilfrydedd a fy mharodrwydd i ddysgu, i addasu ac i ail-greu fy hun yn barhaus.
- Dwi'n pwyso'r ffaith 'mod i mor sensitif, nes 'mod i'n poeni'n aml fod Fflam, fy mhysgodyn aur, yn mynd yn isel, a bod angen symud ei danc yn wythnosol iddo gael golygfa wahanol.
- Dwi'n pwyso'r sicrwydd sgen i 'mod i wastad am grio wrth wylio'r newyddion – ar y da a'r drwg fel ei gilydd.
- Dwi'n pwyso fy ngofal o anifeiliaid, a'r ffaith imi afael ynddyn nhw a'u mwytho fel tasa'r greal ei hun yn fy nwylo.
- Dwi'n pwyso'r diolchgarwch sgen i tuag at fy nghorff am fy nghadw i'n fyw bob dydd.
- Dwi'n pwyso'r ffaith na alla i ladd pry heb deimlo'n ofnadwy.
- Dwi'n pwyso fy angerdd dros gyfiawnder.
- Dwi'n pwyso'r ffaith 'mod i'n gwrando mwy na dwi'n siarad.
- Dwi'n pwyso'r sylfaen i fy mywyd, sef 'mod i wastad wedi trio mor galed i wneud be sy'n iawn ac yn dda, hyd yn oed os nad ydw i wastad wedi llwyddo.

97/365 | **Gobeithio**

Gobeithio dy fod di'n gwybod i chdi haeddu diwrnodau o ddisgyn mewn cariad efo'r profiad o *fyw*.

98/365 | **Corff yn crio**

Mae'n cyffwrdd rhywbeth,
yn styrbio.
Mae 'na gorddi,
mae 'na grio
rywle yn nwfn
y cnawd.

Dwi'n ei glywed,
yn gadael iddo.
Dim cysuro,
dim ond gwrando
ar bob smic
efo clyw wedi'i hogi
a gofal hen yogi.

Mae'n gymhleth, eto'n syml,
y rheswm dros y crio;
er bod amser yn feddyg da,
mae'r corff yn mynnu cofio.

99/365 | Y sawl a fu...

Alla i ddim achub neb arall. Y gorau alla i ei wneud ydi trio dysgu eraill sut i achub eu hunain.

100/365 | Pan glywaf gerdd

Efallai na all cerdd newid dim byd y tu allan imi,
ond mi all newid y byd i gyd y tu mewn imi.

101/365 | Hoff gwpan

Agora'r cwpwrdd
i gwpanau am a weli –
rhesi dirifedi o rai
lliw tywod, tir a lli.

Maen nhw'n dlws, ydyn,
ond meiddia
ddod â phanad imi
yn 'run o'r rheina.

Estyn am y bella,
y binc, sy'n gwisgo bloda –
am ryw reswm, yn honna
mae panad yn blasu ora.

102/365 | Y radio bach gwyrdd

Mi alla i wrando ar Spotify a chael cân dda yn chwarae, a theimlo'r wefr.

Ond mae'n wefr wahanol o'i chael yn chwarae ar y radio. Mae 'na groen gŵydd a chryndod amgenach drwof wrth deimlo'r pedwarawd rhwng llais, geiriau, alaw a churiad. Maen nhw'n creu patrwm o les yn fy meddwl, yn fregus fel gwawn ac yn llawn o dlysni pluen eira.

Dwi ddim yn sicr o'r rheswm dros hyn. Falla fy mod i'n licio'r syndod braf o gael cân dda yn chwarae heb unrhyw ysgogiad o'm rhan i. Ond y tu hwnt i hynny wedyn, mae 'na lais ffeind ben arall y radio sydd wedi *dewis* y gân, wedi'i dethol hi, gan iddo gael ei gyffwrdd ganddi, fel fi, ac mae'n geirio hynny.

Ia, dyna ydi o. Mae cân dros radio yn uno.

103/365 | Tria ddallt

Dydi fy ngwên
ddim yn wahoddiad,
dydi fy nillad
ddim er dy fwynhad.
Dydi fy nistawrwydd
ddim yn broc i chdi siarad
ond gan i chdi fynnu,
dwi'n cau dwrn am fy ngoriad.
Paid â thrio dal fy llygad;
A *ffoc off*.
'Oes, gen i gariad.'

104/365 | **Rituximab**

Mewn chwinciad cliced gwn,
dwi'n cysgu, cyn i'r cyffur
gael cyfle i gynefino â
brigau'r brif wythïen.

Dwi'n deffro weithiau
i fyd sy'n ludiog, loyw,
yn bytiau caleidosgop drosto.
Dwi'n troi a throsi a thrio eto.

A phan mae'r bag wedi'i wagio,
dwi'n ochneidio.
Dyma'r fraint o fendio,
a iechyd sy'n nesu heno.

105/365 | **Cymuned**

Helfa Drysor Ceir Clwb Godre'r Eifl

Does 'na ddim byd cweit fel helfa drysor ceir i wneud i rywun lawn ddirnad y gwahaniaeth rhwng edrych a gweld.
    Mae 'na bobl wedi'i ddweud o o fy mlaen ac wedi'i ddweud o'n well, ond mae 'na gymaint o basio heibio dyddiol yn digwydd a dim cymaint o dalu sylw. Mewn byd o glociau a biliau, mae amser a phres yn difa'r moethusrwydd o arafu, anadlu a *gweld*.

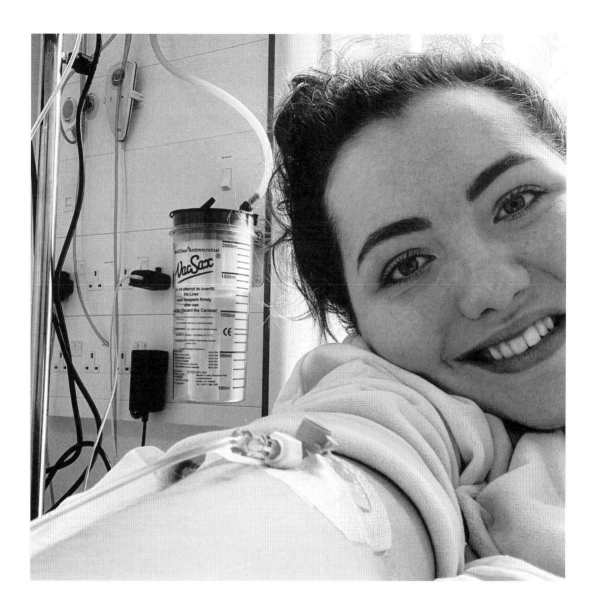

Ond roedd heddiw'n wahanol. Heddiw, ro'n i'n gweld. Roedd 'na bymtheg o ganhwyllau ar giât tŷ Bryn Hyfryd, pâr o gennin Pedr ar garreg aelwyd Plas Tudur, a chi defaid uwch Tyddyn Cae. Ro'n i'n sylwi ar y manylion pitw bach sydd i gorneli fy nghymdogaeth ac yn gweld cymeriad y lle yn crisialu mwy wrth i'r car lusgo 'mlaen, a'r un ohonon ni'n tri ar frys i gyrraedd y diwedd.

Heddiw, roedd amser yn cael ei dreulio'n braf, ddi-stŵr, a phres yn cael ei roi yn llawagored. Achos heddiw, roedd ein calonnau ni i gyd yn llawn cymuned.

106/365 | Pan fydda i'n hen

Cerdd wedi ei hysbrydoli gan Maria o Guatemala, sy'n ymddangos yn y llyfr The Atlas of Beauty *gan Mihaela Noroc*

Pan fydda i'n hen,
gad i addfwynder
weld y rhychau o boptu fy llygaid
yn gwysi chwerthin o waelod fy mol.

Gad i berlau doethineb
dasgu'n arian drwy fy ngwallt,
yn llwybr llaethog lond fy mhen.

Ac am y creithiau, y llofnodau poen,
gad nhw'n noeth yn wyneb y byd,
yn olion o fywyd wedi'i fyw.

107/365 | Dadgyflyru

Yn dilyn araith ddiweddar Rishi Sunak, lle bu iddo feirniadu'r 'synnwyr diwylliannol ei bod hi'n iawn i fathemateg unigolion fod yn wael.'

Tan yn ddiweddar, dwi wedi byw fy mywyd, nid yn dathlu'r pethau dwi'n gallu eu gwneud yn dda, ond yn cuddio'r pethau dwi'n eu gwneud yn wael.

Pan fydd pobl yn fy ngalw i'n glyfar, dwi'n teimlo ryw dynnu yn fy nghalon. Dwi'n ôl yn bymtheg oed eto, yn rhwygo'r rhifau yn ddarnau i drio cael synnwyr o'u canol nhw. Dwi'n beichio crio, wrth gwrs, gan mai'r peth gwaethaf ar wyneb y ddaear ydi bod yn anghywir. Lle mae fformiwla yn bod, dwi'n dod i ddeall mai dim ond cywirdeb sy'n cael bodoli wrth ei ochr.

Cyn rŵan, dwi wedi cywiro'r bobl hyn. Dwi'n dweud mai creadigol ydw i, nid clyfar. Ond erbyn hyn, dwi'n adnabod y cyflyru, yn codi bys canol arno – *dau* fys! – ac yn gadael i greadigrwydd fod yn arwydd o glyfrwch hefyd. Os nad ydi rhifau'n gwneud synnwyr imi, gad i'r geiriau wneud y gwaith. Ac os nad ydw i'n wybodus, gad imi fod yn ddoeth.

Mae'r geiriau yn gadael imi fod yn anghywir. Mae'n gwneud person da ohona i, ond dynol hefyd. Mae fy nholciau yn cael eu derbyn i gyd. A'r peth mwyaf bendigedig i gyd ydi nad ydi creadigrwydd yn caboli'r tolciau – ddim yn meiddio. Mae'n gadael llonydd tan imi sylweddoli mai'r union dolciau hynny wnaeth greu y creadigrwydd yn y lle cyntaf.

108/365 | Corff

Os na alla i ei garu o,
gad imi fod yn niwtral.

Ei weld fel peiriant
sy'n pwmpio,
anadlu, curo,
pur anaml
yn colli'r tempo –
am y mil
chwinciadau
mewn ennyd fer,
mae'r corff
wrth ei waith
yn tendio, yn adfer.

Ac os na alla i ddotio ato
eto,
y cnawd sy'n rolio,
y mellt aur a'r bochio;
dwisio nerth i beidio
byth â gwylltio –
y cwbl wnaeth o
oedd *bod*, a *gweithio*.

109/365 | **Ar drawma**

Dwi'n rhannu gan mai felly dwi'n hawlio fy mhŵer yn ôl. Ond does yna fyth ofyn i neb rannu eu trawma'n gyhoeddus os nad ydi'r capasati yno i wneud hynny. Efallai bydd y capasati yno ryw ddydd ac efallai na fydd o fyth, ond ddylai neb deimlo bod trawma yn cael ei ddilysu dim ond o'i rannu. Mae trawma yn ddilys am y rheswm syml ei fod o'n *bod*.

 Ac mae'r rhannu a'r cadw yr un mor ddewr â'i gilydd, fydd un fyth uwchben y llall.

110/365 | **Mared**

Llais i ddymchwel muriau,
llais iro a diosg hen feichiau,
llais hiraeth, fel cof y tonnau;
mewn düwch, dyma lais y golau.

111/365 | **Diwrnod y Ddaear**

'A society grows great when old men plant trees in whose shade they know they shall never sit.'
Dihareb Roegaidd

Mi fydd 'na fyd ar ôl imi fynd, y pethau haniaethol, diriaethol, ysbrydol a'r bydol yn dal i fod. Hwyrach nad ydi'r atalnod llawn ar y ddaear am ddigwydd yn ystod fy mywyd i.

Ond alla i ddim dychmygu dilyn y wyrth fy mod i yma o gwbl efo'r dewis i fyw yn hunanol. Am wast ar gyfle da i fod yn dda, i *fyw* yn dda ac i *wneud pethau* da.

Efallai nad ydi'r genhedlaeth ddaw ar fy ôl i am brofi'r atalnod llawn chwaith, ond mi fetia i na chawn nhw'r fraint o brofi aer mor glir nes bod anadlu'n teimlo fel grisialau bach yn eu llenwi, fel aer Penychain i mi.

Ac am y gwyrddni am a welaf o dalcennau Eryri, yn wala a gweddill, mi fydd 'na fwy o lwydni yn eu golygfa nhw – cynnydd lle bu caeau, haen o darth yn dynn wrth y tir, yn un tagiad hir o lygredd.

A'r môr wedyn. Mae'n gwestiwn sy'n fy nhroi a'm trosi – a gawn nhw weld dŵr mor dryloyw berffaith, nes ei fod yn ddigon i'w drysu? Fel môr Afonwen i mi, lle mae glas yr awyr a'r dŵr yn un, y gorwel wedi ei rwbio o'r golwg.

Efallai nad ydi'r Atalnod Llawn Terfynol Un yn erchyll o agos, ond pam mae angen aros iddo gyrraedd cyn gweithredu? Onid ydi heddiw cystal diwrnod ag unrhyw un i ddechrau arni?

112/365 | Marathon Llundain

Mae'r rhyddhad yn donnau bach dros gant a mil o wynebau, yn hepian 'nôl a mlaen yn ara deg. Mae 'na boen yno hefyd, ac mae eu bydoedd nhw'n grynedig, eu cyrff yn flinedig y tu hwnt i'r hyn alla i ei amgyffred yma adra, heb gyrraedd fy mil o gamau, hyd yn oed.

Ond hefyd, dwi yna. Ar darmac gwlyb yn Llundain heddiw, mewn môr o boteli dŵr a baneri, a moroedd mwy o bobl yn gweiddi a chlapio a chrio am yn ail, mae dynoliaeth yn ei ddillad gora, yn smart o'i go' ac wedi addo bihafio. Dwi'n ei deimlo fo – cysgod y teimlad o fod efo nhw, a'r wefr yn taranu drwof i o gael fy atgoffa drachefn bod haelioni, daioni a chariad, wastad yn gorchfygu.

113/365 | Fel afon

Ar y ffaith nad ydi fy hunaniaeth fel person abl/anabl yn rhywbeth statig

Dwi'n teimlo 'mod i'n disgyn rhwng dwy stôl yn aml, ryw hanner ista cyn hynny a methu â gwneud fy hun yn gyffyrddus byth. Dwi ddim hyd yn oed yn siŵr bob amser a oes gen i'r *hawl* i ista'n gyffyrddus – ydi'r sedd yma wedi'i chymryd? O fy nghael i yma, ydw i'n mynd â lle rhywun arall?

Ond mae pethau'n gwella. Dwi'n cydnabod fy hawl i fod yn hylifol – i fod yn rhan o'r gymuned abl pan fydda i'n abl, ac yn rhan o'r gymuned anabl pan fydda i'n anabl – ac i fod yn lladmerydd dros yr ail mewn byd sydd ddim wedi'i ddylunio ar eu cyfer. Dwi'n dechrau cymryd perchnogaeth o'r hunaniaeth hybrid dwi'n ei fyw bob dydd, heb deimlo brys i gyfiawnhau.

Achos mai fy hunaniaeth *i* ydi hi – fi pia hi i gyd, bob tamad. Mi ga i ei diffinio fel y mynnaf, a dal ei chymhlethdod hyfryd sut bynnag ffordd sy'n ffitio ora.

114/365 | **Deuoliaeth i bopeth**

Mi alla i dderbyn y cwbl a pharhau i deimlo'r annhegwch yn drybowndian weithiau.

Mi alla i drio peidio â gadael i ddim byd fy nal yn ôl rhag byw bywyd llawn a pharhau i barchu fy nghyfyngiadau pan maen nhw'n brifo isio gorffwys.

Ac ar y dyddiau lle mae'r byd yn teimlo fel dillad gwlyb ar fy nghefn, mi alla i ddweud wrth y ddynes tu ôl i'r cownter pa mor dlws ydi hi, neu roi arian i'r dyn sy'n canu am gariad ar y stryd.

Os na alla i ysgafnu'r dydd i mi fy hun, mi wna i'n siŵr 'mod i'n gwneud i rywun arall.

115/365 | **DS**

Pan brynodd fy nghariad ice bath *imi gan 'mod i'n rhy wan i fynd i'r môr am* cold therapy

Os na alla i gyrraedd y môr, mi ddaw â'r môr ata i.
Dwi'n caru'r ffordd mae o'n fy ngharu i.

116/365 | Beds

Pan ddaeth fy mrawd bach, Bedwyr, adref ar ôl misoedd lawer yn Seland Newydd

Od sut 'nes i ffarwelio efo brawd bach a 'mod i heddiw yn cofleidio dyn.
　'Mae hi mor braf dy weld di.'
　'Braf bod adra.'
　Mae Mam yn gwenu efo'i llgada mewn ffordd sy'n llenwi 'nghalon efo cryndod gloÿnnod byw. Mae hi'n gosod ei gyllall a fforc wrth y bwrdd bwyd, yn sythu ei fat ac yn sibrwd, *y petha bach*, dan ei gwynt.
　Mae hi'n codi ei jympyr i'w breichiau ac yn mynd â hi i'w golchi. Dwi'n gwybod nad ydi hi'n fudr, a dwi'n gwybod ei bod hithau'n gwybod hynny. Ond dwi'n gadael iddi. Ar ôl saith mis ben arall y byd, alla i ddallt ei hisio i'w dowcio yn ogla adra.

117/365 | Dadgysylltu

Dwi'n dweud fod yna ffenest fathrwm rhyngof i a'r byd. Alla i ddim mynd ati efo cadach sych i rwbio a dileu'r niwl, dwi ddim haws. Mae'r niwl ym mol y gwydr, yn gwrthod byjo, yn creu mwy o ddryswch wrth imi geisio gwneud synnwyr ohono.
　Dwi'n gwybod fy mod i yma, ond ar brydiau, mi fydda i i ffwrdd ar adain aderyn yn rhywle. Mi fydda i'n pellhau – yn gosod moroedd a mwy rhwng y fama a'r rŵan a lle bynnag fydda i fry yn fan'na – ond alla i ddim ei atal o. Dwi ar drugaredd fy mheilot, yn ansicr a wneith o gofio'i ffordd adra o gwbl.

Ac er nad ydi'r tripiau'n para cymaint bellach, a bod adra wedi'i serio ar gof yr aderyn, mae'n dal i dynnu dagrau cymhleth, blinedig ohona i ar ddychwelyd. Dwi'n gadael iddyn nhw lifo wrth i 'nghariad lenwi'r tyllau yng nghlytwaith fy ddoe.

118/365 | DJ Terry

'Does 'na neb yn berffaith ar yr hen fyd 'ma.'

Mewn byd sy'n ddrysfa gymhleth,
yn bobl fawr a'u siarad mân,
Terry sy'n ffeindio lloches
wrth galon nodau'r gân.

Pan fydd eu geiriau'n gyllyll
a'u sbeitio'n brifo'n boeth,
y plant sy'n methu â'i ddeall,
ond Terry sy'n aros yn ddoeth.

A phe bawn i heddiw'n datgan
i'r bobl drwy'r ddaear gron
gael eu mesur ar sail anwyldeb,
byddai Terry ar y blaen o ddigon.

119/365 | Dangosaf iti gariad

Mewn ymateb i lun o ddyn mewn oed ar drên efo bwnsiad o flodau oedd bron yn fwy nag o ei hun

Dwisio gwybod mwy amdano.

Ydi o'n darllen Yeats a T.S. Eliot?

Yr eiliad yma, ydi'r cariad yn drowynt gwyllt, neu'n deml dawel tu mewn iddo?

A ddisgynnodd o mewn cariad efo un fu yno erioed, ers iddo ddysgu gosod un droed o flaen y llall, neu a ddigwyddodd pethau'n hwyrach wedyn? Ac os hynny, oedd o'n *gwybod* o'r cwrdd cyntaf? Y gwybod hwnnw lle mae'r cariad yn teimlo fel ateb, ac nid fel cwestiwn?

A dwi'n poeni. Mae blodau yn bethau sy'n cael eu derbyn â breichiau agored led y pen, ond maen nhw hefyd yn bethau sy'n cael eu rhoi i orwedd ar gerrig beddi. Maen nhw'n ebychnod o liw weithiau, llongyfarchion ym mhob petal, a droeon eraill maen nhw'n dawelach pethau, y cydymdeimlad yn amdo amdanynt.

Ond dwi'n ffyddiog bod y dyn hwn yn caru, ac wedi caru. Mae'r llun yn siarad:

Sbia seis ar y bwnsiad 'ma, a jest dychmyga faint y teimlad tu ôl iddyn nhw.

Lluosa hynny rif y tywod, a falla gei di syniad o ddibendrawdod y cariad wedyn.

120/365 | Edrych tuag adra

Yr olygfa sydd mor gyfarwydd imi â tharddiad fy enw. Gwyrdd sy'n wyrddach na gwyrdd bob man arall, a'r awyr wedi'i throchi yn y glas neilltuol hwnnw sydd pia diwrnod Sioe Nefyn yn unig.

Golygfa sy'n ddigyfnewid, dydi hi ddim bwys faint o newid sydd ym mhob man arall, ac ynof. Golygfa gyson, fel f'anadl fy hun, ac un fydd yn aros tra bydda i.

121/365 | Moron a thun bîns

Dwi'n sbio ar y bagiau *wonky carrots*. Maen nhw'n hollol iawn, yr un mor fwytadwy â'r rhai sydd fwy syth ac union eu siâp, ond maen nhw'n rhatach.

Dwi'n sylwi arni hi'n fan'na'n mynd am y tun bîns wedyn. Mae hi'n gweld tolc bach, bach ar ei ochr ac felly'n ei osod yn ôl ar y silff, cyn gafael mewn un arall sydd heb ôl codwm arno.

A dwi'n gorfod chwerthin. Mae pobl wedi'u cyflyru at y bôn, yn do? Dwi wedi'i wneud o cyn heddiw, dwi ddim yn dderyn glân fy hun. Hyd yn oed pan mae'n dod at foron a bîns, mae 'na wyro at be sy'n ddifrycheulyd, berffaith, a'r second-rêts sy'n cael y lygad ddall a'u gadael ar ôl.

122/365 | Plannu hedyn

Wythnos Ryngwladol Garddio 2023

*Pam treulio oriau bwygilydd yn chwynnu, tocio, swcro, dyfrio, a gweddïo am grop o
dy gwman wrth lafurio, chditha'n laddar o chwys ac yn sbrencs priddllyd drostat?*
    Dyna'n union pam. Bob dim yn fan'na. Rhwng yr hedyn a'r dwyn ffrwyth,
y deiliach bach yn brigo i'r wyneb a'r llysieuyn llawn, lliw cyfoeth, mae o i gyd
ei werth o. Mae'r broses gyn bwysiced â'r cnwd.
    A chael gafael yn ffrwyth y llafur wedyn a dweud yn falch,
    Fi dyfodd hwnna.

123/365 | Cyni

'Ddoe oedd 1282 i'r genedl Gymreig.'
Emyr Llywelyn

Ym merw heddiw,
mae crib Carlo'n goch,
a chlochdar ei geraint
yn cripio briwiau,
yn blingo'r pethau
na fendiodd.
Lle mae rhyfyg,
rhwysg a hobnobio,
mae Llywelyn
yn rhywle'n gwylltio.

124/365 | **06.05.23**

Dwi'n agor fy nrws ar dlodi'r trwch, y ddau ben llinyn fel dau negatif sydd byth yn cwrdd. Tu draw, mi wela i ddigonedd y detholedig rai sy'n bathio mewn siampên ac yn cachu siocled.

Llwy aur a chwpan blastig,
cyfog o gyfoeth a dimai Brydeinig.
Paid â gofyn felly pam 'mod i'n flin
wrth weld y byd yn plygu glin.

125/365 | **Cwm Nantcol**

Bod yma ydi
gollwng sgwyddau,
smwddio'r straen
o'r rhychau,
teimlo bylchau
mewn llif
diddiwedd
o feddyliau.

Bod yma ydi
gadael beichiau,
cau bŵt ar y byd
a rhoi taw ar y lleisiau.

Mae afon wrth ymyl,
coed a hen lwybrau,
a chwyn fy mhen
sy'n bownd o ddwyn blodau.

126/365 | **Dawns y glaw**

Glaw sy'n fy neffro
am bump y bora.
Mi ffeiria i bres mawr
am freichiau cwsg
a'u gwres,
sy'n goflaid
gynnes, fynwesol
fel panad iawn, foreol.

Ond mae dawns
y dafnau'n dlws,
fel y blŵs o drist,
ond eto'n fywiog,
rywsut.
Mi fentra i
aros yn effro,
er fy mlino –
mi ffeiria i gwsg
am law sy'n dawnsio.

127/365 | **F.R.I.E.N.D.S.**

Am gyfnod mor eithriadol o hir, echel fy myd oedd y geiriau *The One Where* a
The One With. Dyma oedd yn fy nghario o un dydd i'r llall, rhywbeth solat yn

strwythur fy modolaeth pan oedd bob dim arall yn slwj.

Ro'n i'n gwirioni ar Phoebe a'i henaid hipi, Monica a'i charu ffyrnig, Rachel efo'i hyder a'i harddwch oesol. Chandler a'i hiwmor chwim, a Joey oedd wastad yn gosod ffrind o flaen bob dim. Ross oedd orau gen i, ac sydd orau gen i hyd heddiw – Mississippilessly, Pivot, Unagi, L-O-V-E love, ac wrth gwrs,

It's always been you, Rach.

Mi fydda i'n dal i'w gwylio, ond yn gwneud hynny'n amlach mewn cyfnodau o straen. Y rhaglen ydi fy nghysur i, fy ffrind cyfarwydd, fy lle saff, fy stori 'sdawch cyn gwely. Yr un peth sy'n diffodd bob dim arall.

Dwi wedi eu gwylio gant a mil o droeon o'r blaen, ac mae'r ddeialog wedi'i serio ar fy nghalon. Ond yno mae'r hud mwyaf. Pan mae bob dim yn wirion, wallgof yn y byd, a minnau heb syniad lle i droi, dwi'n troi at *Friends*.

Achos efo *Friends*, yn groes i fywyd, dwi wastad yn gwybod be sy'n dod nesaf.

128/365 | **Dillad haf dwytha**

Os nad ydi fy nillad haf dwytha yn ffitio eleni, dydi mynd am seis mwy ddim yn fethiant nac yn fater o ildio.

Dwi'n ei ddweud o eto – dillad sydd i fod i ffitio fy nghorff, nid lle fy nghorff ydi gwasgu ei hun i mewn i'r dillad.

Dwisio gallu ista heb agor fy malog ac anadlu heb i hynny frifo. Dwi'm isio teimlo defnydd yn dynn a stici, fel ail groen amdana i. Dwisio i betha fod yn ysgafn a braf ac *airy*.

Eleni, dwi'n dewis prynu ar gyfer hynny. Seis yn fwy, a dal i ffynnu.

129/365 | **Nhw oedd yno**

Ar Ddiwrnod Rhyngwladol y Nyrsys

Pan ro'n i'n methu â siarad, nhw oedd yn gwybod be oedd ei angen arna i.

Pan ro'n i'n methu â symud, nhw fyddai'n fy nhroi i drosodd, fy nghodi i fyny, newid fy nghlwt i.

Nhw oedd yr unig rai oedd yn gwybod i beidio ag eistedd ar ochr y gwely achos *ffacinel, ti'n tygio ar y catheter*!

Nhw oedd yn glychu fy ngheg efo darnau o gotwm gwlyb, yn trio 'nghadw i'n lân efo weips, yn golchi fy ngwallt heb imi orfod symud oddi ar fy ngorwedd.

A phan ro'n i isio saethu'r byd, isio gadael bob dim, isio sgrechian fy nhu mewn i'n wag a chrio fy nhu mewn i'n sych, nhw, y nyrsys, oedd yno.

Ac er nad oedd yna ddim mymryn o urddas, roedd yna wastad foroedd o gariad.

130/365 | **Trwyn Cilan**

Y gwynt sy'n datod y clymau yng nghefn y môr. Dim byd gwyllt gynddeiriog heno ond tylino tawel sy'n edrych yn sanctaidd, bron, o fyny fama.

Ac mae ôl cwsg dros yr awyr, ryw darth cysglyd ar ôl i'r dydd fochio o haul. Mae o'n blino, mi alla i ddweud, isio hel am ei wely ond yn aros.

Gan iddo wybod bod yna ddau, fel ni, isio gweld y nos yn ymestyn yn hir, gan nad oedden ni eto'n barod i ffarwelio efo un o'r dyddiau hynny ddyla bara am byth.

131/365 | Gwneud cacan

Mi ddywedodd 'na ddynes ddoeth unwaith na ddylwn i fyth setlo am y briwsion pan alla i gael y gacen i gyd. Am hynny ro'n i'n meddwl wrth gnoi i mewn i'r sleisen gynna.

Dros y blynyddoedd, ro'n i wedi hel y wybodaeth am sut i bobi gan y merched yn fy mywyd fel pres i gadw-mi-gei – brith syniad o bwysau'r cynhwysion, cynhwysyn cyfrinachol wedi'i sbriwsio i mewn i'r gymysgfa, ambell ganllaw ar sut i gymysgu heb wneud gwadan o'r sbwnj, a sut i chwipio'r hufen yn bluog, gymylog.

Mi wnaeth y merched yn siŵr 'mod i'n cael y gacen i gyd, ond yn fwy na hynny, 'mod i ddim yn disgwyl amdani'n offrwm gan neb. Ges i fy arfogi efo'r cyfarwyddiadau i'w gwneud hi ar fy mhen fy hun.

132/365 | Y funud hon

Ar Wythnos Iechyd Meddwl y Byd

Dwi'n falch 'mod i wedi aros o gwmpas, nid gymaint ar gyfer pwy ro'n i bryd hynny, ond ar gyfer pwy ydw i rŵan.

Does gan rywun ddim syniad faint o fersiynau ohonyn nhw sy'n aros eu tro i ddod i'r golwg, Matryoshka Dolls ydan ni i gyd. 'Newch chi ddim licio bob un ond rŵan, y funud hon, dwi'n gwneud ffrindiau efo 'fi' fy heddiw. Y funud hon, dwi'n sylweddoli bod bywyd, o ganol y llanast i gyd, wedi ennill.

'Nei di ddim fy nghoelio i rŵan – fyddai 'fi' fy ddoe ddim wedi fy nghoelio i chwaith – ond dydi'r 'fi' ti'n ei brofi rŵan ddim am byth. Pwy ŵyr, falla fydd y 'fi' nesaf 'nei di ei greu yr hyfryta eto.

Mae hi'n werth aros o gwmpas i weld, dwi'n addo.

133/365 | Fflam las

Wrth fynd yn hŷn, dysgu mwy a dad-ddysgu mwy fyth, mae un sylweddoliad sy'n cydio fel fflam las y tu mewn imi, yn gwrthod diffodd er i'r cyfryngau drio'n aml efo'u bwcedi dŵr.

Mae'r teimlad sydd i fy mywyd yn gymaint pwysicach na'r edrychiad sydd iddo.

Rho imi lun hoples o eiliad hapus dros lun perffaith o ffug-hapusrwydd.

134/365 | Dros gyfiawnder

Ar ddiwrnod rhyngwladol yn erbyn homoffobia, trawsffobia a deuffobia

Mae'n od sut all rhywun ffieiddio at gydorwedd, at gusanu, at y rhai sy'n ddigon dewr i garu. Mae amser rhywun ar y ddaear mor brin a bregus, a meidroldeb yn sicrach na dim.

Pam, felly, fyddai rhywun isio gwastraffu un anadl arall o'i eiddo yn *dewis* casáu?

135/365 | Dau fath o garu

Bod yma i garu. Ddim i'r caru sy'n dân gwyllt lond dy fol, lle mae byta a chysgu yn amhosib gan dy fod di'n meddwi ar fod ym mreichiau'r un person yna.

Ond bod yma i'r caru sydd ddim yn brolio, sydd jest yn bod yn ei ffordd ddistaw ei hun. Yr un sydd ddim yn colli mynedd, ac sydd wastad yn ymddwyn yn gleniach nag y mae'n teimlo.

Ac o fod efo'r ail fath o garu yn ddigon hir, mae'n siŵr o rannu ei gyfrinach efo chdi yn y diwedd drwy gyfaddef mai ei enw go iawn ydi heddwch.

136/365 | Pendilio

Mae sgwennu'n dod o le caled a brwnt ac ysgafn a meddal, i gyd ar yr un pryd. Sgwennu ydi torri a mendio fy nghalon fy hun am yn ail.

Fydda i'n meddwl yn aml,
'Pam fy mod i'n gwneud hyn o gwbl?'
cyn edrych yn ôl dros fy nghreadigaeth ar y diwedd a chwestiynu,
'Pam gwneud unrhyw beth *ond* hyn?'

137/365 | Steffi

Ar ôl iddi redeg 10km am 40 diwrnod yn olynol i hel arian at Gronfa Mesen

Dwi'n dy gofleidio'n dynn
fel dwn i'm be,
a'r dagrau
sydd yn eu digon,
o'th weld yn rhedeg
nerth dy draed
i brofi nerth dy galon.

A heddiw,
a'r rhedeg drosodd,
gobeithio dy fod
yn dysgu
i weld dy hun
drwy lygaid teg
y llwyth sydd yn dy garu.

138/365 | Deuoliaeth gorsaf drenau

Lle gwag, llawn hefyd,
carreg ateb a chri dychwelyd,
lle llonydd, sy'n fwrlwm o fywyd –
lle i helô a hwyl ddod ynghyd.

Dwi'n licio jest sbio ar y byd yn mynd heibio. Dim brys, dim ond llifo am yn ôl yn ei amser ei hun. Mae 'na awyr heb gwmwl heddiw, mwclis tlws o fynyddoedd, a thamaid o lyn odanodd yn ddrych i'r cwbl.

Ac o gyrraedd pentref, mi wela i ddyn yn gwthio berfa, un arall yn plannu hadau. Mae 'na ddau ifanc yn chwerthin ar jôc, a dwi'n gwenu arnyn nhw heb feddwl. Dwi'n clywed hogyn hirwallt dros y ffordd yn gweiddi 'COWS!' a phwyntio at gae o wartheg yr ochr draw imi – mae 'na wastad un.

Ac mae bob dim yn braf – dim babi'n crio, dim plentyn yn strancio, dim aer sticl na chwys yn felys dros bob dim, neb yn gwasgu i mewn i fy ochr i ac yn dweud, 'Sorry for touching you it's just so PACKED so what brings you here where are you from?'

Dwi'n sbio allan eto ac yn gweld y mynd a dod hwnnw sydd mor nodweddiadol o fywyd ond sydd eto'n digwydd heb inni sylwi arno fo. Y codi llaw rhwng dau gymydog, taflu pêl i gi ar draeth, dal dwylo o dawelwch ger y prom. Y mynd a dod all basio fel dim byd, ond sy'n llawn o bob dim.

Mi welwch chi'r byd a dynoliaeth yn eu *glad rags* ar siwrna drên, dim ond ichi ddewis y diwrnod cywir.

140/365 | **Wedyn**

(24.05.2023, ddwy flynedd i'r diwrnod ers imi oroesi ymgais i ddiweddu fy mywyd fy hun)

goroesi

                              ???   ??
                  ??
???

                  dygymod

            ???   ???
?
                        ?????

                              mendio

                                          byw.

141/365 | **Adnabod**

Un peth dwi'n meddwl amdano yn aml ydi sut mae diffiniad pobl o adnabod yn amrywio.

Dwi'n gwybod am lawer fyddai'n dweud eu bod nhw'n adnabod rhywun oedd yn yr uwchradd efo nhw, ac yn ei 'nabod o'n iawn!' hefyd, er bod yna ddeng mlynedd wedi pasio, profiadau wedi'u byw, bywyd wedi digwydd.

Mae'n bwysig cydnabod mawredd y bwlch rhwng yr adeg honno a'r funud yma. Bod yna fersiynau o bobl yn perthyn i gyfnod, bod y gair 'gorffennol' yn bod am reswm. Dwi ddim yn adnabod *neb* es i i'r uwchradd efo nhw, nad ydw i mewn cysylltiad efo nhw rŵan hyn.

Achos ei bod hi'n bwysig rhoi bob chwarae teg i newid, baglu, dysgu, tyfu, a rhoi rhyddid i bobl ail-greu eu hunain yn barhaus.

142/365 | **Ar faddeuant**

(Ymadawiad: siarad o brofiad personol, a phresennol, yn unig)

Dydi eu brifo nhw'n ôl ddim am wella dy boen di – mae'n rhoi parhad iddo fo. Gwers hallt i'w dysgu.

Ac mae maddau yn teimlo mor amhosib â hoelio dŵr i goeden, ond os y daw o, yna er dy fwyn dy hun fyddi di'n gwneud hynny. Dydi'r maddau ddim yn fusnes i'r un sy'n *derbyn* maddeuant bob amser, ond yn hytrach i'r un sy'n rhoi.

Nid chdi sy'n haeddu cario'r mwd a'r mieri dan dy groen bob dydd, maen nhw'n dal i dy lygru di felly. Gollwng o fesul dipyn, fesul mymryn, y *smijin* lleia. Achos blydi hel, ti'n haeddu'r hawl i ddechra gwella.

143/365 | **Symud**

I rywun sydd wedi cael ei phigo a'i phrocio efo nodwyddau cyhyd, mae gen i wythiennau digalon. Roedden nhw'n gorfod chwilio am rai yn fy nhraed at ddiwedd fy nghyfnod yn Alder Hey, a'r rheiny'n methu â dal, yn rhoi ac yn byrstio, fy nhraed i'n chwyddo'n gartwnaidd o fawr.

Dwi'n sbio ar wythiennau fy nghariad. Dydi o heb orfod tynnu gwaed ers dros ddegawd medda fo, ac eto, mae'r gwythiennau yn brolio'n dew drosto, yn ffansïo eu glas eu hunain ac yn llawn addewid o waed parod.

Dwi wedyn fel y map o fy mlaen i rŵan. Gwythiennau tila yn brigo am allan, yn cynnig diawl o ddim byd er cymaint mae rhywun yn mynd ar eu gofyn nhw.

Ac eto,

fy ngwythiennau i ydi'r rhain. Yn styfnig, yn llawn creithiau, wedi caledu mewn mannau, ond drwy ryfedd wyrth, yn dal i bwmpio, yn dal i 'nghadw i yma.

Y gwaed sy'n dal i symud – dim *cul-de-sac* ar hyn o bryd.

Dwi'n diolch.

144/365 | **Y môr am adra**

Ar y ffordd adra o Iwerddon

Fel fi fy hun,
mae'n hepian,
a'r haul hen
sy'n pendwmpian;
ond er i heddiw
ostwng ei hwylia,
nesu mae'r lan,
ac adra.

145/365 | **Gafael ym Mai**

Fe ddaeth
i sbriwsio'r blodau,
i droi'r gwres
yn uwch drwy'r tonnau,
hynny hefyd
drwy oerni fy hwyliau,
a chynnig hances
i Ebrill a'i ddagrau.

Gadael Mai

Mor dawel
ag y daeth,
mae'n codi pac,
yn canu'n iach;
a'r adar bach
sy'n odli heno,
a'r iaith o'r frest
sy'n les drwyddo.

146/365 | Cwiar na Nog

Cerdd i bawb sy'n brifo heno

Wrth i'r apathi ruo
a blingo i'r byw,
dwi'n crio efo chdi heno.
Y ffasiwn flino
ar wthio am Gymru
fydd yn barod i dy garu,
alla i ddim *dechrau* dychmygu.

Ac allan nhwythau
ddim chwaith.
Tra maen nhw

yn eu gwaith
yn cadw Cymru
yn nhriog ddoe
efo'u hofnau dros warchod
y plant rhag y 'sioe',

cofia hyn.
Mae 'na bobl sy'n dymuno
dy warchod dithau,
ac yn Cwiar na Nog,
cei orffwys dy rwyfau.

147/365 | Penwythnos hallt

Dydi'r haul ddim am ddigio.
Mae'n mynd i ddallt
bod yna halltrwydd
i'r haf, hefyd.

Dwi ddim yn sôn
am heli'r don
sy'n cydio fel coflaid
lond yr awelon.

Dwi'n sôn
am y dagrau,
yr argae sy'n rhoi,
yn methu â dal mwy.

A thrwy'r ofn o bechu,
mae'r *hawl* i grio –
dos am dy wely,
dydi'r haul ddim am ddigio.

148/365 | Dysgu wrth fynd ymlaen

Mae 'na sôn am sut na ddyla dy werth gael ei fesur gan faint dy gorff, lliw dy
lygaid, llyfnder dy groen, tebygrwydd dy aelia, ac yn y blaen ac yn y blaen,

mae hyn i gyd yn wir.

Ond i ti yn fan'na sy'n poeni nad ydi dy feddwl di'n dlws, nac yn glyfar,
ac nad wyt ti'n gwybod digon am hyn, llall nac arall,
yr holl bethau pwysig dan olau'r haul,
y bob dim o bwys ar wyneb y ddaear,

cofia bod gen ti'r hawl i beidio â gwybod,
i ddysgu am y tro cyntaf yn dy ugeiniau, dy bumdegau, *tu hwnt*!
Dim brys.
Ac i beidio â dysgu o gwbl, hefyd;
does yna neb byw erioed wedi gwybod bob dim.

Paid ag ildio i'r pwysa,
dysgu wrth fynd ymlaen 'dan ni i gyd yma.

149/365 | Rhedeg

Un eiliad fach iwfforig,
un orig fer ag enaid mud –
yn fy llaw, dwi'n dal y byd
ar ôl rhedeg am ryw hyd.

150/365 | 'Rar Taid

Mae'n cyfarch ei flodau,
ac fel afon o'i enau
mae'r enwau
yn golchi drosta i –
yn flodyn y gwynt
ac yn ddraenen wen,
mae'n cyflwyno'r lot
â chysgod gwên.

Ac mae'n mowldio
i'w ardd ei hun,
yn un efo'r blagur,
yn ffitio'r llun.
A'r gorau i gyd
yw ei angerdd union –
yn betalau sy'n tasgu
o eigion y galon.

151/365 | **Bol cragen**

Rhedaf fys yr uwd
drwy bant ei chanol,
lle mae garwedd môr
wedi'i llyfnu'n rhyfeddol.

Gallaf sefyll ar focs sebon
a damhegu am hyn,
sut mae'n ddrych i fywyd
a'r meddalu mewn dyn.

Ond lond fy meddwl, ei lygaid,
wrth iddynt lacio o freuddwyd,
yn llyfn fel bol cragen,
a'r sglein yno hefyd.

152/365 | **Heno**

Fel modrwy ddyweddïo,
mae hi'n wincio –
diemwntau drud,
pelydrau hud a lledrith
yn chwarae mig
rhwng yr ŷd.

Ac ynof,
hen gynhesrwydd
sy'n dweud helô
o bryd i'w gilydd
ar nosweithiau
mwyn fel heno,
lle mae'r golau
yn ddiguro.

153/365 | Coelcerthu

Ar noson tân gwyllt, mae 'na bryfaid tân yn chwyrlïo'n ddall o gwmpas y goelcerth, yn gyffro i gyd. Fydda i'n meddwl am hynny wrth weld llygaid y bobl dwi'n garu yn siarad am y *pethau* maen nhw'n eu caru.

O'u cael nhw yno yn chwarae eu hoff gân imi, yn adrodd dyfyniad o'u hoff ffilm neu'n dweud, 'Hei, welis i hwn heddiw a meddwl amdana chdi' – dyna'r arwydd sicraf o gariad, lle maen nhw'n ymddiried ynof i efo'r rhannau mwyaf tyner ohonyn nhw eu hunain.

A dwi'n gadael iddyn nhw rannu, a'u gweld yn gwirioni ar *gael* rhannu, a dwi inna'n gwirioni ar weld eu llygaid yn coelcerthu.

154/365 | **Diosg | tyfu**

Paid ag ymddiheuro,
paid â meiddio –
ddim am ddechrau eto,
ddim am ddiosg
hen bethau,
eu gadael ar ôl
a thyfu haenau
o'r newydd
sy'n jig-so
i dy heddiw.
Haenau sy'n ffitio
heb orfod gwasgu,
gwthio,
gwyrdroi
na gorfodi,
haenau sy'n llawn
o'th wirionedd di.

155/365 | **Camau**

Pan oedd yr wythnos ddwytha yn gam cawr ymlaen, ond yr wythnos yma'n
dri cham ceiliog yn ôl, dwi'n trio f'atgoffa fy hun mai'r newyddion drwg ydi
bod yna lawer yn gallu newid mewn wythnos. Ond y newyddion da ydi bod
yna lawer yn gallu newid mewn wythnos.

Yr wythnos nesaf, mi fydd un cam ceiliog ymlaen yn ddigon.

156/365 | Ar Wythnos Iechyd Dynion

Eleni, eto,
be am beidio
dweud wrth ddyn
bod rhaid iddo
fod yn ddyn.

Ai bod yn ddyn
yw ei weld yn rhegi
ei ddagrau ei hun?
Rhoi crasfa
iawn i'w galon,
cau caead
ar eiriau'r fron,
ac i be?
I fod yn ddyn?

Yn lle hynny,
be am ei ddysgu
mai bod yn ddyn
ydi bod yn ddynol –
ei ddysgu i deimlo,
i grynu,
i gracio,
a gorau oll!
ei ddysgu i grio.

157/365 | Gwisgo masg

Pan ddaru dieithryn geisio tynnu fy masg oddi ar fy wyneb

Os ydi dy chwilfrydedd yn cael y gorau ohonot, yna gofynna.

Gofyn imi pam fy mod i'n ei wisgo. Mi ddyweda i wrthat ti am fy system imiwnedd, ei bod hi mor wan oherwydd yr holl driniaethau a bod y fadwch lleiaf yn yr aer yn gallu glynu wrth fy nhu mewn fel cacimwnci, a chreu'r blerwch mwyaf o bethau.

Neu mi ddyweda i am y chwydd yn fy mochau nad oes gen i'r galon i'w ddangos i'r byd bob diwrnod, neu'r wên sydd ddim yn gweithio, y nerfau a'r cyhyrau wedi drysu ar gymhlethdodau ei gilydd – dau ddieithryn sydd ddim yn cofio'u swyddogaethau'n iawn.

Mi gei di ofyn, er nad wyt ti'n fy nabod i o gwbl. Mae gen i ateb parod, un dwi wedi bod yn ei ymarfer yn fy mhanig yn y car cyn mynychu unrhyw le a bob man.

Ond paid â gofyn imi ei dynnu i ffwrdd. Gwaeth fyth, paid ag estyn am fy wyneb i'w dynnu o dy hun. Dyna ydi teimlo dy droed di'n stamp gadarn, galed ar holl fregusrwydd fy mod. Mi alla i wneud hebddo.

158/365 | Eiliad

Mi fydda i'n meddwl yn aml am yr eiliad, am sut mae bob eiliad yn orffeniad ond hefyd yn ddechreuad.

Faint o eni sy'n digwydd, faint o farw. Faint o gau drysau a faint o lechi glân. Faint o bobl sy'n llnau llestri, faint o bobl sy'n gwatsiad *Corrie*. Sawl llythyren sy'n cael ei theipio ar hyd y byd, sawl un sy'n cael ei sgwennu. Faint sy'n cwffio, faint sy'n rhegi. Faint o bobl sy'n gwisgo amdanynt, faint sy'n dinoethi.

Ac wrth gwrs,

faint sy'n cusanu,

yn cydorwedd,

yn caru,

a sut mae'r eiliadau hynny'n lluosogi.

159/365 | Castell tywod

Ar fis ymwybyddiaeth PTSD

Dwi ar fy ngliniau yn dal y fwced ben i waered. Dwi wedi dysgu erbyn hyn bod rhaid i'r tywod dynnu digon o ddŵr i'w ganlyn er mwyn i'r castell sefyll, neu does 'na ddim gobaith iddo oroesi'r chwa lleiaf o ddim byd.

Ac mae'n cynnal ei hun yn dal. Mi alla i fyw tu mewn iddo a theimlo'n saff. Mi alla i addurno a pheintio gan ddefnyddio paled o liwiau sy'n fy nhawelu, y *pistachio green* a'r *powdered pink*.

Ond ar nosweithiau fel neithiwr, dwi'n cael f'atgoffa mai tywod ydi'r waliau, wedi'r cwbl. Mi alla i drio dod o hyd i'r tywod mwyaf safadwy, dal y fwced yn llonydd am amser hir, hir, gwirio 'mod i wedi codi fy nghastell yn y man pellaf posib oddi wrth hyrddiad neu lyfiad ton, ac eto,

tywod sydd gen i yma.

Ond pan ddaw hi'n fore a dwi ar fy ngliniau'n codi fy nghastell drachefn, mae 'na ddedwyddwch yn dod drosta i. Achos 'mod i yno, yn adeiladu eto, heb oedi mor hir cyn troi at yr orchwyl y tro hwn. Ac am y tro cyntaf, dwi'n dweud wrtha i fy hun nad fy mai i ydi o mai tywod sydd gen i yma.

160/365 | **Pys mewn hosan**

Haf o dyfu pys am y tro cyntaf

A dyna lle ro'n i, yn ôl yn 'rar Taid yn rhedeg rhwng y rhesi, yn studio'r tyfiant yn dringo'n chwedlonol dros bob dim a finnau'n fachau i gyd yn ei ganol o wrth drio dod o hyd i'r hosan dewaf.

    O'i chanfod hi, ei hagor yn ara bach gyda gofal llawfeddyg, a gweld y pys yn foliau llawnion yn wincio'n ôl arna i. Rhedeg fy mysedd dros eu sglein wedyn cyn eu llowcio fesul un, a'r hosan hefyd, y darn gorau.

    Mi sylweddolais i heddiw mai blas pys mewn hosan fydd ar y lliw gwyrdd i mi am byth. Blas fydd â'i lond o hafau fy mhlentyndod yn rhedeg rhwng y rhesi yn 'rar Taid, finnau am y gorau i ddod o hyd i'r hosan dewaf.

161/365 | **Rhydd**

Mae 'na gerddi
sy'n wyllt o rydd.
Cerddi sy'n wallt
ar ben uchaf Anelog.
Cerddi anghofio lastig,
byth yn cario clips.

A dwi'n anghofio
eu caru nhw weithia,
eu rhoi i'r ochr

pan fydd cynghanedd
yn degan newydd.
A'r cerddi sy'n
flêr ac yn
diawlio bob
rheol heb
falio
fel hyn
yn degan *hand-me-down*,
sglein-wedi-gwisgo.

Ac wn i ddim a ydi hon
yn gweithio,
a dwi rywsut yn odli
heb drio,
ond dwi'n cael f'atgoffa,
o'i sgwennu,
mor *hawdd* ydi'r rhydd
i'w charu.

A dwi'n dweud wrtha i fy hun:
paid ag anghofio bod ystyr heb sŵn yn bwysicach iti na sŵn heb ystyr.

162/365 | **Golau**

Ar ddiwrnod Alban Hefin, 2023

Sut mae disgrifio golau fy heuldro fy hun?

Golau wedi'i gymryd o wallt angylion, wedi'i socian mewn dagrau cariadon a'i roi i sychu wedyn mewn chwerthiniad plentyn.

Golau sy'n teimlo fel clywed cân fy mhlentyndod eto, minnau'n adrodd y geiriau bob yn un:

I wish I was a punk rocker with flowers in my hair.

Wyddwn i ddim fy mod i'n cofio o gwbl.

Golau agor drws ar orffennol pell yn ôl, lle'r oedd y melyn ar y tesi gwair yn blu cesail aderyn. Golau o gofio'r rasys cychod brwyn yn afon Brychyni, pan oedd pelydrau'n taro'r dŵr mewn ffordd oedd fel 'och' am fy nghalon.

Golau'r dyddiau dirifedi oedd yn teimlo fel un diwrnod mawr oedd yn gwrthod cysgu. Golau blodyn menyn dan fy ngên a blodau gwylltion lond fy ngwallt.

163/365 | **Eldra/Elsi Fach**

Gad fi fewn
i dy fyd di,
gweu fy hun
i wead dy fyw
a ffitio'n daclus,
heb drio.

Mygu'r hen isio
oedd gen ti
am gi, a llais
dy fam yn deud:
'Dwi'm isio blew yn tŷ!'

⋆

Hi pia fama,
dau lojar 'dan ni,
hyd a lled y lle
yw ei theyrnas hi.
Ni sy'n plygu i hynny,
yn *moesymgrymu*!
Dim dal pen rheswm,
dim cwestiynu.

A 'dan ni'n chwerthin.
Ond o'r cryndod,
dwi'n stopio
a throi atat
gan sobri;
pwy feddylia,
medda chdi?
Mor fodlon fasa dau
ar gael eu rheoli gan gi?

164/365 | **Pan fydda i...**

yn colli pwysa'r gaea, yn gweld fy nghroen ar ei ora, yn cymryd y supplements *iawn bob dydd ac yn yfad fy nŵr* filtered, *yn gwneud pres mawr a rywsut yn ffeindio amser i bawb,*

wedyn, mi fydda i'n hapus.

Ond oes yna rywun erioed wedi dweud wrthat nad oes 'na ben draw i'r 'pan fydda i'?

Gorwel o syniad ydi o, *hen derfyn nad yw'n darfod.* Unwaith ti'n meddwl dy fod di ar gyrraedd, ti'n sylweddoli nad oes newid yn dy hwyliau a ddaw 'na 'pan fydda i' arall i lenwi dy ben.

A felly fydd hi tan iti sylweddoli bod 'na ddim byd yn bod efo anelu at orwel, ddim ond iddi beidio â chael ei chamgymryd am gyrhaeddiad.

Felly, cofia fwynhau'r fordaith.

165/365 | **Lewis Capaldi**

Yn dilyn ei berfformiad yn Glastonbury, Mehefin 2023

Chaiff y gair 'methu'
ddim anadlu yma.
I'r miloedd eneidiau,
daliodd ddrych
o'u blaenau
ac i'r rhelyw,
profodd hyn:

gelli fod ar y brig
ac yn y gwaelod,
ond y gân sy'n eli
dros freuder bod.

166/365 | Cael yn ôl

Ei gael yn deffro,
dyna heddwch.
Gosod larwm i godi
fymryn yn gynt
i gael gweld
ei lygaid yn geni
i ddiwrnod newydd.

Mae'n sbio arna i,
ei wyneb yn feddal
fel breuddwyd braf
a'i lygaid yn llythyr caru.
Ac mae'n teimlo
fel cael yn ôl y cwbl
dwi wedi'i golli –
o ddydd fy ngeni
hyd rŵan.

A dwi'n gwybod bod *popeth* gen i.

167/365 | Reffen, Copenhagen

Roedd bod yma fel gweld gwyriad golau haul yn taro tarmac mewn garej gan dynnu ohono'r lliwiau rhyfeddaf – lliwiau na all enfys greu, hyd yn oed.

Ac mae 'na batrwm bob amser. Un sy'n perthyn i'r meddwl seicedelig, yn sleids o antur, yn ebychnodau beiddgar hyd-ddo.

Mae'n dangos pa mor ddigymell all cymysgu fod, sut mae gweddu'n digwydd mor hawdd o adael iddo wneud ei beth ei hun.

A sut mae bob lliw yr un mor dlws â'r nesaf, ond mai efo'i gilydd, drwy ei gilydd, maen nhw dlysaf.

168/365 | ICY & SOT, *Home*

Ymateb i ddarn o gelf yn Urban Nation, Berlin

Cael lle i ddychwelyd ato. Man saff sy'n teimlo fel tynnu sgidia ar ôl dringo am ddyddiau maith. Rhyddhad, llacio, gollwng, *ymollwng*.

Lle sy'n adnabod fy ffyrdd, yn parchu fy ffiniau, yn derbyn na fydda i'n gwirioni yr un fath arno bob dydd ond eto, yn gwybod yn y galon na fydd curo arno fyth.

Dyma'r teimladau sy'n rheadru drwof cyn cyrraedd ato. Ond o sbio ar y darn hwn o gelf ar fy niwrnod olaf yn Berlin, mae 'na ru a gwae yn creu tryblith tu mewn imi.

Dwi'n teimlo'r euogrwydd mwyaf fy mod i'n cael y fraint o ddychwelyd, fy mod i'n un o'r detholedig rai. Nid fi ydi'r dioddefwr yma. Er mor fawr ydi fy euogrwydd i, eu galar nhw sydd cymaint mwy. Sut beth ydi galaru am adra na ddaw fyth yn ôl? Pa fath o uffern ar y ddaear ydi hynny?

Dwi'n penderfynu yn y fan a'r lle mai hen air tila ydi 'dychwelyd', nid gair gaddo nac addewid. A dwi'n sydyn yn torri fy mol at gael rhoi mwytha i Mam o flaen yr AGA.

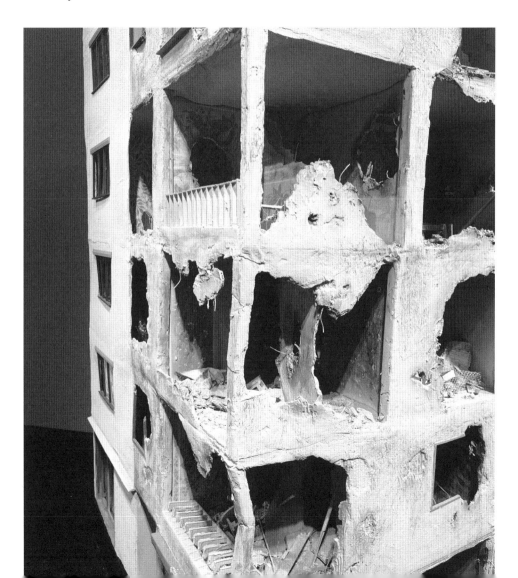

169/365 | Cyrraedd rhywle

Cerdd yn ymateb i fy ngwyliau cyntaf dramor

'Nes i ddarllen neithiwr bod yna 'fi' yn y dyfodol yn edrych ar 'fi' y presennol drwy gyfrwng atgofion, yn dal y rŵan hyn. Mae'r 'fi' hwnnw'n fy nabod i'n iawn, sgen i ddim syniad pwy ydi o.

Ac mi wnaeth imi feddwl –
pe bai'n codi'r eiliad hon,
chwarae efo hi yn ei ddwylo,
yn llwyo'r amser
bob ochr iddi,
ei roi o'r neilltu
a sbio'n agos, agos wedyn
ar hon, y chwinciad union,
yr unig beth pia fi
ar wyneb y ddaear gron
dwi'n gobeithio,

wir yn gobeithio
y bydd o'n cofio
mai dyma ydi
cyrraedd rhywle.
O ganol dyheu
a môr coch o amheuon,
mae 'na gyrraedd
a gwireddu breuddwydion.

170/365 | Llwybr Benrallt Nefyn

Yr un hen dro
nad oes blino arni.
Llain o dir, gleiniau'r
môr fel ceiniogau draw.
Yn ei thegwch a'i smic,
yn ei garwedd a'i rhuo,
dyma'r lle gorau
i olchi, i buro.

Yn ei dillad
o glychau'r gog,
bysedd y cŵn,
ambell fotwm crys,
mae brys y byd
mor bell
yn Benrallt Nefyn;
lle mae'r puro'n ddigymar,
a'r hud yn ddiderfyn.

171/365 | Gwasg y Lolfa

Ar fy niwrnod olaf yn gweithio efo'r wasg

Gollwng yr inc, rho daw ar eiria,
am eiliad, gad y myrdd o lyfra,
cofleidia'r flwyddyn a welodd dy ora,
a'r criw a feginodd y fflam yn dy gylla.

172/365 | Cain Eleri

Ar ddiwrnod graddio fy chwaer fach

Heddiw, ddydd dy haeddiant,
yn gain, yn dy holl ogoniant –
'Bytholwyrdd' sy'n canu'n dlos
a grisiau'r sêr sy'n aros.

173/365 | Yellow

Gwylio Coldplay yn fyw yn Copenhagen, Gorffennaf 2023

Melyn ydi lliw dedwyddwch,
lliw gadael i ddoeau
hel llwch a lliw fy fory.

Melyn, lliw gobaith
sy'n gynnes
fel gair Mam,
melyn blodyn menyn
dan dy ên
yn fflam.

A melyn ydi hyn –
y golau, y geiriau,
melyn ydi lliw
fy llif o ddagrau.
Ond dwi'n dal dy lygaid
ac yn gwybod drwy'r hud
mai chdi ydi'r melyn
mwyaf i gyd.

174/365 | Ailweirio

Ceisio goresgyn perthynas gymhleth efo bwyd

Mae ffigwr a ffaith yn aros. Mi wna i gacen a rhoi *coconut oil* ynddi er mwyn arbrofi. O nunlle, dwi'n cofio am yr un erthygl honno, flynyddoedd yn ôl, oedd yn dweud nad ydi hwnnw, chwaith, yn dda i rywun. LDL, CHD, strôc…

Eto, dwisio troi fy hun tu chwith allan a thynnu bob dim dwi'n ei fyta ohona i, *jest rhag ofn.* Dwisio llnau'r lloria, sgwrio'r walia, gwagio cyn i'r corff gael y cyfle i'w brosesu o, *gwaeth fyth,* ei storio.

Dwi'n cael fy atgoffa nad ydi hen batrymau yn marw'n hawdd. Ond mae 'na ronyn rhesymegol yn nwfn y cof sy'n fy atgoffa bod modd creu patrymau newydd hefyd. Felly dwi'n parhau efo'r mesur, wedyn y cymysgu, yn ei rhoi i goginio, ei gwylio'n codi. Aros iddi oeri, hufen drosti. Bob cam yn ddringfa, yn nesu at ryw gopa.

O'i bwyta, dwi'n gwybod na chaf i ei mwynhau hi'n iawn heddiw. Dydi'r copa heb ei gyrraedd, mae ffordd i fynd eto. Ac er mor hawdd fasa troi ac ildio, codi fy fflag wen a'i chwifio bob cam yn ôl i'r gwaelod, mi arhosa i'n fama am chydig eto. Mi symuda i eto fory. Efo lwc, am i fyny.

175/365 | Gwreichion adnabod

I gael tystiolaeth o faint wyt ti wedi tyfu, dos yn ôl i'r lle oedd yn teyrnasu dy blentyndod. I'r ysgol gynradd, i'r neuadd bentref, i'r siop-bob-dim sy'n gwrthod cau'i drysau er gwaethaf stomp esgid y siopau mawr.

Ti'n cofio'r lle yn gymaint mwy. Ac er dy fod di yno, ti'n gwrthod dirnad ei hyd a lled gwirioneddol, mae 'na ormod o gysur yn yr ehangder y mae'r cof yn dal i'w gario.

Mae bod yno'n mynd i deimlo'n chwithig, fel dilladu dy hun efo gwisg sy'n llawer rhy fach. Ond mae 'na ddaioni, hefyd. Oherwydd er bod yna flynyddoedd, *degawdau* weithiau, rhyngot ti a'r plentyn oeddet ti, mae bod yn y llefydd hyn yn gallu codi gwreichion adnabod hefyd. Dwyn ynghyd dau gyfnod, dau fersiwn, ac maen nhw'n codi llaw o bryd i'w gilydd a gwell fyth, maen nhw weithiau'n dal dwylo.

176/365 | Lle mae duw yn byw?

Pan wela i fy ngwythiennau fy hun yng ngheinciau'r ddeilen, iris fy llygaid ym mhlu'r paun. Pan gerddaf ar draeth a gweld bydysawd cyfan mewn sglefren fôr, plygiadau fy nghroen yn nhorri'r don, dof i ddeall bod duw yn byw mewn Natur, yng ngheinder gwawn a gwe, gan mai anodd i mi yw dadlau'r ffaith bod artist wrth ei waith yn rhywle.

177/365 | Adra

Nid pedair ffenest gyffelyb
na llwybr di-chwyn,
blodau bob ochr.
Nid carreg aelwyd ag ôl sgwrio
na muriau cedyrn,
y wyneb wedi'i chwipio.

Nid tŷ yn gymaint â'r gwybod –
lle bynnag wyt ti, dwi inna i fod.

178/365 | Tyfu'n blentyn

Hydion a aeth heibio
ond rŵan, mae hen isio
ym mhob cell o'm heiddo
am y swings, unwaith eto.

179/365 | Sosij a tsips

Ar noson fel heno,
smic o aeaf ar y glaw
a hithau'n gwlychu'n boitsh,
mi wna i bwt o haul
o bryd sy'n llond bol
o hafau a fu –

o barcio ger yr harbwr
wrth i'r nos agor ei dôr,
ac o wylio finag y machlud
yn rhoi i heli'r môr.

180/365 | Aros

Llygaid mwll,
Llithfaen mewn niwl.
Y bywiogrwydd gynt
ag ôl traul arno rŵan.
Gwên oedd â'i llond o haf,
heddiw'n gam fel gaeaf.

Dim tristwch ond blinder,
a blino ar flino –
colli limpin efo'r drych

a'i ddieithryn,
laru cadw caead
ar enaid blin.

Dwi yna, dan y cwbl,
wrth i bethau droi tu min,
ond pell ydw i'n dal i fod
o 'ngafael i fy hun.

181/365 | Tân

Dwi'n meddwl am danllwyth oren, ninnau wedi gwasgu o'i gwmpas fel ieir yn clwydo. Mae 'na ddwylo yn cynnig eu hunain i'w gynhesrwydd ac mi wela i'r pryfaid tân yn dawnsio rhwng y bysedd.

    Mae'r chwerthin, hydnoed, yn swnio'n gynhesach heno, ac er bod ambell och a gwae wrth i *farshmallow* arall droi'n ddu, mae 'na oglais ysgafn drwy'r aer – rhyw ddedwyddwch saff, hir ei barhad. All dim byd ein cyffwrdd ni heno.

    Mor hawdd anghofio, wrth i dân ein tynnu ni at ein gilydd fel hyn, ei fod o hefyd yn gallu ein darnio ni ar wasgar. Mae beth sydd wedi rhoi'r bywyd hwn inni yn gallu cymryd y bywyd hwnnw i ffwrdd fel 'tai'n ddim.

    Mae ei wres yn dechrau troi'n bwys yn fy mol ac mae gwawr od o goch ar fy wyneb. Dwi'n camu'n bellach oddi wrtho, yn gosod dwy hyd braich a mwy. Mi wna i fwynhau ei gynhesrwydd o bell gan gofio mai tân yw'r mwyaf dauwynebog ohonon ni i gyd.

182/365 | Shuhada' Sadaqat | Sinéad O'Connor

Y ddynes a rwygodd lun o'r Pab ar *Saturday Night Live*. Hynny, ei phen moel rebelgar a 'Nothing Compares 2 U' oedd y cwbl ro'n i'n ei wybod amdani.

Heddiw, mi glywa i am y geiriau angylaidd o fwyn a oedd yn brotest yn ei brest, yn pwnio yn erbyn waliau ei chalon, a'r galon honno'n gwybod yn iawn na fyddai'n medru eu dal i mewn am byth. Ac roedd hithau ei hun yn gwybod hynny, yn gwybod mai'r boen fwyaf eithafol oedd cadw ei stori dan glo, a honno'n byrstio isio bod allan yn y byd.

Dwi'n lawrlwytho mwy o bodlediadau am ei bywyd, yn archebu ei hunangofiant. Ond dwi'n gwingo wrth wneud, ac yn gwrido hefyd. Gan 'mod i'n un o'r llwyth sy'n troi at ei bywyd rŵan, yn hwyr, a hithau ddim yma ddim mwy.

183/365 | Mynd efo'r gwynt

Fflagiau Cymru yn croesawu'r Steddfod

Mae hi'n chwifio dros y lle,
y fflag efo'i fflach
bigog o goch.
Gwaedd groch
yn ei chrafangau hi,
hwyl cenedl
yn obaith drwyddi.

A beth well na draig, mewn difri,
i ddal eofn eneidiau'r cewri?
Eu her, eu haberth a'u cyni,
a'r tân a blannwyd yn ein boliau ni.

184/365 | **Mr Bean**

Dydi Mr Bean
yn dweud dim byd,
dim gair o'i ben
ac eto, dwi'n gwenu.
Fues i 'rioed yn ffan
o'r slapstig,
mwy o foi'r sarcastig
ond eto, Mr Bean

sy'n fyd ynddo'i hun –
yn gysur o'r gwirion,
yn gnawdoliad o ddoe,
o ddyddiau hirion
fy mebyd yn dotio at y sioe
nad oedd angen pwt o iaith –
Bean, dan gamp, sy'n gadael
i'w stumiau wneud y gwaith.

185/365 | Ann Dwynant

Sydd yn 84 oed ac wedi mynychu'r
Eisteddfod Genedlaethol yn ddi-dor ers y saithdegau

Deugain mlynedd a mwy
a'r ŵyl sy'n dal i'w thynnu,
ei chynefin yn llawr iddi leni
a hi sy'n gwrthod 'rafu.

Fiw iddi godi,
ddim ond i doriad –
bywiogi'r coesau,
'nôl â hi ar amrantiad.
Yn ddi-ffael, mi welwch
dan don o ddiwylliant,
yn ffyddlon fel erioed
yn ei sedd, Ann Dwynant.

186/365 | Llanddwyn

Llanddwyn sy'n dal i gysgu,
man gwyn o'r byd a'i stŵr,
ond mi glywi, o oedi'r pen pella,
ing Dwynwen drwy erwau'r dŵr.

187/365 | Y porthladdoedd

Mae'r môr yn cuchio'i dalcen,
yn laru ar dramwy'r hen sgotwr,
ond maddau a wnâi, fil gwaith a mwy,
a'i gario yn ôl tua'r harbwr.

188/365 | Er fy ngwaethaf

Bob Steddfod yn ddi-ffael

Paid

                    Plis

   Paid   !!!!!
        PAID

                           AaaA

Sadia

   Wbath arall, *wbath*

               Meddylia
       Meiddia
      Blydi hel, ti'n mynd amdani eto, dwyt?

            …

'Yma am yr wsos?'

189/365 | Penwaig Nefyn

Allan â nhw drachefn i hel
drwy'r dŵr a'i ddibendrawdod,
a phenwaig sydd, ar derfyn dydd,
yn aur ar frig eu disberod.

190/365 | Anelog ac Uwchmynydd

Odanodd, mae 'na ddadlau,
ton a chraig yn hogi eu geiriau.
Ond fyny fama, dim oll
ond mudandod mwyn,
a duwdod yn gryndod
drwy'r grug a'r brwyn.

191/365 | Degawd i'r dydd

Ers derbyn y diagnosis Myasthenia Gravis

Oes gyfan o ddegawd, para-am-byth o ddegawd, teimlo-fel-fy-mywyd-i-gyd o
ddegawd.

Degawd sydd wedi bod yn lwmp diog, yn dylyfu gên ac yn ymestyn ei
goesau, ei freichiau'n stretsio'n hir, hir, yn Fendigeidfran dros y môr o hir.

Degawd o oriau o fewn eiliadau, dyddiau o fewn oriau, misoedd o fewn dyddiau…

Ac eto,

degawd.

192/365 | Y deffro

Cipio cwsg o'n i, trio'i ddal fel trio dal pilipala. Ei fachu weithiau a chau fy nwrn yn dynn amdano rhag ei golli eto. A'r cwsg wastad yn gorlifo efo hunllefau, yn edliw imi holl ddigwyddiadau drwg fy mywyd arweiniodd at hyn, y gosb – y penyd gwyrdroëdig i wneud yn iawn am ddoe.

A'r deffro wedyn. Cyfarwyddo eto efo'r gwyn, y blipian, y methu symud, y geiriau oedd yn disgyn i'r mudandod o drio eu hynganu.

A dyna'r gwaethaf i gyd – y deffro, y cofio, a'r orfodaeth i fynd drwyddo fo eto, ac eto, ac eto.

193/365 | Syched (a'i dorri)

Do'n i ddim yn cael yfed. Roedd fy mhoer fy hun yn ddigon o risg, felly trodd dŵr yn ddieithryn llwyr a minnau'n gweld ei isio fel cariad dros y môr. Mor braf ro'n i wedi'i chael hi cyn hynny – dŵr yn agos, yn lân, yn saff.

Pan fynnais gael sbwng gwlyb i wlychu waliau'r geg yn y diwedd, ro'n i'n reit sicr mai dyma'r 'gosaf peth at nefoedd fyddwn i'n ei brofi yn y bywyd hwn. Do'n i heb nemor cyffwrdd â phrofiad tebyg o'r blaen, profiad oedd yn perthyn i'r tu draw oedd o.

Mor hyll oedd bywyd pan ddysgais wir ystyr syched. Mor dlws oedd o pan ddysgais wir ystyr ei dorri.

194/365 | Fruit berry ac ice lolly

Sut i fesur fy niwrnoda?
    Fesul fruit berry smoothie o Costa Coffee ac ice lollies cola, lime a cherry.
    'Jest dal ati dan y smŵddi neu'r loli nesa…'
    a'r nesa, a'r nesa, a'r nesa, a'r nesa;
    nes ti'n cyrraedd adra.

195/365 | Gwyn ysbyty

Mae gwyn ysbyty yn wahanol i bob gwyn arall. Y gwyn sy'n blu cesail aderyn, yn freuddwydion plant bychain, yn ddwylo angylion – nid dyma wyn ysbyty. Gwyn gwneud-ati ydi hwn; gwyn sy'n *rhy* wyn. Gwyn dofi sŵn y blipiau, wylofain ac arogleuon comôd. Gwyn cuddio angau.
    A finnau yn ei ganol o, jest â sgrechian efo ysfa i beintio'r lle 'ma'n felyn.

196/365 | Coeden

O ganol y gwyn, mi welais i goeden a dechrau beichio crio. O edrych 'nôl, doedd hi ddim fel y coed adra, ond hon oedd y goeden hyfryta ar wyneb y ddaear bryd hynny. Roedd hi mor llonydd ond eto, roedd murmur y dail yn fwrlwm byw. Mewn lle lle'r oedd babis bach yn rhy wael i grio, roedd yn rhaid imi ei weld o. O'r salwch gwyn, roedd yn rhaid imi gael cip ar fywyd gwyrdd.

197/365 | **Mam**

Oedd efo fi bob diwrnod o'r pedwar mis ro'n i yn Alder Hey

Mae camera fy meddwl wedi dal lluniau o Mam efo fi yno, bob awr o bob diwrnod, ac mi fydda i'n fflicio drwyddyn nhw weithia. Mi fydda i wastad yn oedi am chydig ar y lluniau ohoni'n rhwbio fy nwylo efo eli ogla da.

Dwi'n cofio fel iddi ddweud ei bod hi'n rhwbio'i nerth i gyd i mewn i 'ngwythiennau i. Finnau mor wael, ond yn ei deimlo fo – nid nerth ond y cariad prin hwnnw sydd ond yn perthyn i riant desbret.

Mi ddysgais i'n fuan iawn bod yna un peth gwaeth na bod yn blentyn gwael;

bod yn rhiant i blentyn gwael.

198/365 | **Gwyn fy myd**

Dad, Elain, Mari, Cain a Bedwyr

Mi fydda i wastad yn meddwl amdanyn nhw fel sardîns wedi eu gwasgu i stafell fach, fach, ar ôl pacio eu bydoedd i'w bagiau am benwythnos arall mewn sbyty. Dim y ffordd ddelfrydol o dreulio penwythnos, ond roedd gadael ar y nos Sul yn saith gwaeth.

Meddyliwch maint y cariad hwnnw, mor fawr nes y basa rhywun yn rhoi'r byd yn grwn i aros yn y lle hwnnw sy'n ddigalon o wyn, yn blant sy'n crio am adra ac yn fabis bach mud.

Gwyn fy myd.

199/365 | Ronald McDonald House

'Home away from home'

Lle syml, dim ffrils –
stafell, cegin, lolfa –
ond gofal sy'n llifo
drwy drwch y walia.
Fan hyn, fan gwyn,
yn yr awr dywylla,
calonnau sy'n agor
ac yn cynnig noddfa.

200/365 | Craith

Lôn syth o graith, eirionig o gofio'r daith.

    Dyma fy hoff ran o fy nghorff i gyd. Prin byth y bydda i'n meddwl amdani, ond pan fydda i, dwi'n gwirioni o'r newydd. Dwi'n rhedeg fy mys drosti, y chwydd lleiaf erioed yn dal yno i fy atgoffa 'mod i'n *dal yma.*

201/365 | Maen nhw'n galw fi'n *chicken egg*

Ro'n i'n poeni byddai'r acen yn gyrru cryndod drwof am byth ar ôl hynny. Ddo i ddim yn ôl i Lerpwl, dyna fyddwn i'n ei ddweud, a'r sicrwydd yn ffyrnig o gadarn drwy wendid fy llais.

Ond canfod fy hun yn hiraethu ydw i, er yr holl flynyddoedd. Pa mor od ydi hynny? Dwi isio clywed acen Sgowsar i 'nghysuro i. Isio clywed y cyfarchiad boreuol hwnnw i feddalu chydig ar lafn finiog y noson gynt. Yn hyderus, gariadus, ac yn diferu o obaith;

'Alright, chicken egg?'

202/365 | Bocs Alder Hey

Bocs pinc i gadw'r pedwar mis dan wely yn y stafell sbâr. Dwi ond wedi pipian drwyddo ddwywaith o'r blaen a dal fy ngwynt wrth ddarllen un o'r llyfrau nodiadau. Mae fel tasa 'na lais mawr yn gorfodi hynny arna i er mwyn gallu symud ymlaen, tra bod llais bach desbret arall yn mynnu ailadrodd,

'rhy fuan, rhy fuan.'

A pham mai'r ogla sy'n fy nghael i bob tro? Dwn i'm o le daeth o na pham ei fod o mor daglyd o felys ond dwi'n edmygu ei ddygnwch, yn dal gafael fel'na am ddegawd heb bylu. Ond mae'r sniff lleiaf yn dal i deimlo fel troi hen garreg drosodd yn y cof a gweld pryfaid llwyd a morgrug yn tasgu allan, finnau'n methu â'u hel nhw'n ôl i guddiad wedyn.

Ond mae degawd o waith caled yn gallu mendio dipyn ar bethau. Dwi'n barotach eleni, yn oedi fymryn yn hirach cyn troi'r dalen, yn manylu ar luniau gan blant ac yn cymryd y geiriau o'r cardiau a'u rhoi i gadw yn y lle tyneraf tu mewn imi.

Oes, mae 'na boen mawr yn y bocs pinc; ond mae 'na dynerwch mwy.

203/365 | Dyfyniad iddi hi

Gobaith ydi'r math trymaf o gariad allith rhywun ei gario, ond dwi'n addo na fydd o mor drwm â hyn am byth.

204/365 | Llythyr iddi hi

Mae'r dyfodol o dy flaen di'n farc cwestiwn, yn flerwch abstract, ond mae 'na bobl yn bodoli yno sy'n aros i gael dy garu di. Mae 'na gymaint o fwydydd ti heb eu blasu, gymaint o lefydd sydd heb deimlo olion dy sgidia di. Mae 'na ganeuon ti heb eu clywed, ffilmiau heb eu gweld, *podcasts* sydd ddim yn bodoli eto. Maen nhw'n mynd i ddod yn rhan 'run mor bwysig o dy gyfansoddiad di â dy ddwylo, llgada, breichia, coesa…

Ond dydi hi ddim am fod yn hawdd. Mae hi'n mynd i fod yn afiach, afiach o anodd. Dwi'n cael fy rhwygo rhwng isio dy rybuddio di ac isio dy warchod di rhag pethau ddyla ddim bod yn rhan o'r profiad o fod yn ddynol, ond rhai ti'n mynd i'w hwynebu. Mi gyrhaeddi di'r gwaelod eithaf un, codi dy hun i fyny eto, disgyn yn ôl yn is fyth a thaeru nad oes 'na fodd yn y byd i bethau fynd yn ddim gwaeth, ond mi wneith bywyd dy brofi di'n anghywir efo hynny, drosodd a throsodd gan ei fod o'n feistr erchyll o greulon.

Ond mae o mor hardd hefyd. Mi deimli di hynny eto, y teimlad yna o brofi harddwch mor eithriadol nes bod y byd i gyd yn stopio, yn dal ei wynt am funud er mwyn cadw bob dim yn union fel ag y mae, jest i chdi. Mi deimli di o'n dy lenwi di, yn chwyddo, yn bochio am allan. Llawenydd hollol, heb ei dwtsiad gan y 13eg o Awst, 2013.

205/365 | Mewn gair

Deud i mi, be ydi gobaith?

Bob dim.

206/365 | Ynys Enlli

Yn y môr, marwor
atgofion sy'n cuddiad,
a'r tywod sy'n bregliach
yn iaith y Dechreuad.
Ond ar y gwynt, mi glywi
am bererin, am gyrhaeddiad –
am ugain mil yn dilyn
ryw hen, hen ddyhead.

207/365 | Porth Neigwl (2)

Yn haid i ganol y weilgi,
daw'r syrffwyr i igam-ogamu.
Uwchlaw, Cilan sy'n derfyn byd,
a'i drwyn piau'r llewyrch drutaf i gyd.

208/365 | Ga i fynd yn llongwr?

Sut mae stôr dy feddwl
yn cofio'r tro cyntaf?
Oedd 'na dynerwch
yn nwfn eithaf dy gylla?
Oedd hiraeth y don
amdanat, fel mwytha?
Ai'r rhamant, ai hwnnw
wnaeth dy gadw di yna?

Neu ai'r don
oedd jest yn dy nabod,
ai dy fêr
oedd jest yn gwybod
mai'r môr oedd dy le,
sylfeini dy fod?

209/365 | Cloi

Mi ddois i ar draws ogla dy sent mewn lle pell o adra. Daeth siâp y botel yn ôl imi a'i lliw glas tywyll oedd bron yn ddu.

Mi ddigwyddodd droeon o'r blaen ac mi deimlais fy hun yn cloi, fel erioed. Y gwahaniaeth oedd, 'nes i'm troi'n ôl i chwilio am dy wyneb yn y dorf y tro hwn.

210/365 | Dychwelyd

I Aled Hughes

Glywi di honna?
yr alwad gyntefig
yn dy dynnu 'nôl
i Galan dy fywyd?

Ar draeth dy febyd
a'r tywod yn wincian,
mabinogi drwy'r aer,
dy sanau di'n socian.

Ac o gyrraedd rŵan,
mor hawdd telynegu
am y plentyn tu mewn
a'r adra ti'n garu.

Dan deimlad, cym' eiliad
i lonyddu, anadlu –
rho ail wynt i'r plentyn,
gad i'r hiraeth aberu.

211/365 | Be fyddwn i wedi licio'i glywed yn bymtheg oed

Ella, *ella*, yn bwysicach na dysgu plant i ddal ati, eu dysgu nhw i wybod pryd i stopio.

212/365 | Mosaic ydw i

Mosaic ydw i.
Darnau dros y lle,
fawr o drefn
ond rhywsut,
o dro i dro,
yn dod i batrwm.

Lliwiau hefyd –
rhai'n ddistaw,
rhai'n floedd.
A phytiau o 'mhobl
ar hyd y daith
yn tynnu ynghyd
a chreu cywaith.

213/365 | Dynes flin

Dwi'n casáu gwylltio,
ond mi a' i mor flin
nes dwi'n crio dagrau
sy'n chwyddo fy wyneb
yn dew, fel gwenwyn
pigiad gwenyn
yn llenwi'r lle
dan fy nghroen.

A dwi'n trio'i fygu o,
ei stwffio i lawr,
lawr fel trio ffitio
tent yn ôl i'w sach,
a gwylltio mwy.
Ond drwy'r cur pen
a'r blas halan,
dwi'n ildio
o gofio
bod gen i,
yn ddynes i gyd,
yr hawl i fod yn flin.

Dwi'n sadio.

214/365 | Cwestiwn rhethregol

Ac un diwrnod, mi wnes i droi at yr haul a gofyn,
   'Sut wnes i greu fy chwerthiniad fy hun?'
   Ond doedd dim rhaid i mi holi'r cwestiwn, roedd o a finnau'n gwybod
hynny'n iawn.
   Wnes i ddim byd ond chwerthin eto,
   a hwnnw'n llawn o felyn ei belydrau o.

215/365 | Mwy na gradd

Os ydi heddiw'n brifo,
y llythrennau'n
gwrthod dal drych
i'r ymdrech,
y slafio, y crio,
y pyliau pryder
oedd yn ddawnsio blêr
yn dy fol, cofia hyn:

Fydd un llythyren bitw
fyth yn fwy na ti –
y rhyfeddod tu mewn i berson
sy'n fwy na'r ê-bî-sî.
Heddiw, o ganol dy frifo
a'u siarad am lwyddiant a bri,
cofia mai bach yw llythyren
o'i gymharu â'th fawredd di.

216/365 | Darllena hwn ddwywaith

Does yna neb fyddai'n taeru'r ffaith y byddai pethau wedi gallu bod mor wahanol, ond dydi gwahanol ddim wastad yn golygu gwell.

217/365 | Colled annisgwyl

Mae'n od meddwl am Y Tro Olaf Un.

Rhannu llofft efo fy chwiorydd hŷn.

Y Tamagotchi ro'n i'n ei arbed efo fy mywyd, a'r cŵn Nintendogs sydd heb eu bwydo ers dros ddegawd.

Cylchu stwff yng nghatalog Argos, yn enwedig jest cyn Dolig, *rhag ofn bod Siôn Corn yn sbio.*

Gwneud dens digalon yr olwg, a pharatoi prydau o gacennau mwd a gwellt yn yr hotel.

Canu am bwy wnaeth y sêr uwchben yn y cynradd.

Mwyara ar Sadyrnau glas a hel buchod bach cota i bot jam (tylla i anadlu yn y caead!)

Ogla tŷ Nain a Taid sydd ddim yn bodoli mwyach.

Ogla fy hen adra.

Mae'n baradocs anodd i'w dderbyn, y ffaith nad ydan ni i fod i wybod pryd fydd Y Tro Olaf Un gan mai'r diffyg gwybod sy'n gwneud bywyd mor werthfawr.

Ond petawn i'n gwybod pan oeddwn yn iau bod yna derfynoldeb yn bod, bod diwedd rhywbeth yn gallu bod am byth, dwi'n licio meddwl y byddwn i wedi oedi fymryn yn hirach ar bob eiliad cyn symud ymlaen at y nesaf.

218/365 | Adrodda efo fi:

Er 'mod i'n gwybod yn well rŵan, dwi ddim yn berson gwael am wneud y gorau efo cyn lleied ro'n i'n ei wybod bryd hynny. Dwi'n haeddu cael maddau i bob merch tu mewn imi.

219/265 | Misglwyf | mislif

clwyf, clwy.
eg. ll. -au, -on, -ydd, -i.
[…] clefyd, haint, afiechyd, salwch, weithiau'n ffig.

Alli di mo'i ddal o, paid â styrbio. Wneith fy ngwaedu ddim dy heintio. Dydi'r dannedd sy'n cnoi tu mewn imi nes imi grensio fy nannedd fy hun ddim yn afiechyd all dy lorio. Dydi gwayw fy anatomi ddim yn salwch i dy sgytio.

Llif ydi o.
Diferion, dilyw weithiau.
Rhediad heb ei gymell,
yn dal i fynd,
fel afon.

220/365 | Eneidiau hoff, cytûn

Be os 'swn i'n deud
bod 'na fwy nag un?
Bod 'na derm lluosog –
eneidiau hoff, cytûn.

Dim enaid unigol
ond clwstwr hyd y lle,
a'u cysur sy'n gynnes
fel panad o de.

Lle mae'r gofod distaw
yn braf a llonydd –
tawelwch heb ei lenwi,
a neb yn aflonydd.

Lle mae'r adnabod mawr
a'r gwybod mwy –
gall fodoli tu hwnt
i ddau neu ddwy.

Wir yr, mae mwy
nag un yn bod,
ac os nad oes un eto,
mae eto i ddod.

221/365 | I gael fy ngharu

Mi ddysgais i bryd hynny nad ydi'r gair caru wastad yn uchel ei gloch. Mi all fod yn dawel, yn wylaidd. Mae'n bodoli yn y cyffredin, yn yr arferion, y bywyd 'dan ni'n ei greu ar ôl codi o'n gwlâu.

Dwi 'di gneud panad i chdi'n barod, mai ar stof.
Neshi weld y dyfyniad 'ma a meddwl amdana chdi'n syth!
Gwell i chdi fynd â cot efo chdi.
Pwyll ar y lôn, black ice *bora 'ma.*
Tecstia pan ti 'di cyrradd adra'n saff.
'Sa ti wir yn mwynhau'r llyfr 'ma dwi'n ddarllan.
Neshi wrando ar y gân 'na oddat ti'n meddwl 'swn i'n licio a…
Bwyd môr a lemon meringue *heno, dy ffefryn di.*

=

*dwi'n dy **garu** di.*

222/365 | Golau drwy grac

'Swn i'n taeru bod yna grac yn fy nghalon, mi alla i deimlo'r gwendid rywle yn ei chanol. Mi all dorri a mendio'n rhyfeddol ond mae'r crac yma'n un sydd methu â glynu'n ôl yn daclus, fel llestr dresel efo ôl Superglue sy'n boenus o amlwg wrth i olau haul daro mewn ffordd benodol.

Ond mi garia i'r crac efo fi gan bod rhaid imi, ac mi garia i'r hen ddyfyniad hwnnw drws nesaf iddi, hefyd – ai Leonard Cohen ddeudodd?

Am sut mae craciau'n gadael i'r golau dreiddio i mewn, fel golau'r plygain drwy grac mewn llestr dresel.

223/365 | Yr ugeiniau

Does 'na neb wir yn deud wrthoch chi am yr ugeiniau cyn ichi ddechrau arnyn nhw. Dim rhagrybudd. Dach chi jest yn landio tu mewn iddo un diwrnod a dyna ni, *crack on*.

Dwi isio gofyn wrth bob un sy'n rhannu'r ddegawd yma efo fi os ydyn nhw'n iawn.
Sawl cyfweliad sydd wedi torri dy hyder di'n ddau hanner?
Sawl person sydd wedi gneud hynny efo dy galon di?
Oes 'na lythyra'n dod drw post gan HMRC ti ofn eu hagor achos ti dal ddim yn dallt sut ma pres yn gweithio?
Ydi Vinted yn gneud chdi'n stressed?
Ydi siarad pawb am 'setlo lawr' yn gneud chdi'n stressed?
Ydi gut health yn gneud chdi'n stressed?
Ydi'r ffaith bo chdi ddim yn gallu fforddio sied yn Llithfaen yn gneud chdi'n stressed?

Dwi'n caru'r ugeiniau – caru dysgu ei wingio hi, ei chymryd hi'n gymharol ysgafn, dysgu bod 'Na.' yn frawddeg lawn. Ond yng nghanol y siarad efo ffrindiau am swyddi, cariadon, tai a gwyliau blynyddol, dwi hefyd yn gobeithio eu bod nhw'n gwybod y cawn nhw wastad siarad am y *shitshows* efo fi hefyd.

224/365 | **Oriau'r bore**

Be ydi hyn
am ddwfe ddu'r nos,
sut mae'n tynnu ohona i
dynerwch sy'n dlos
dan ewin gwyn o leuad?

Yr haul godith fory eto –
hynny'n sicr, doed a ddelo.
Ond er bod ei goch
fel y gwaed sy'n llifo
ynof, yn fflachiau bach
sy'n madarchu drwof;

mae 'na hiraeth sy'n brifo
am ddwfe ddu'r nos,
a'r tynerwch sy'n gwneud
fy meddwl i'n dlos.

225/365 | **Rhwydo**

Mae'r corff yn chwyddo a'r enaid yn crino bob tro y bydda i'n trio fy nillad.
Sut mae rhif yn gallu gwneud i rywun deimlo mor fawr ac eto, mor fach ar yr
un pryd?

Twyll ydi o i gyd yn y diwedd. Mae seis 14 Oliver Bonas yn wahanol iawn
i seis 14 Bershka. Ond er 'mod i'n *gwybod* mai twyll sydd yma, i gadw fy hun

yn gaeth i'r system o gasáu fy nghorff fy hun, dwi'n dal i wyro iddo, yn mynd i mewn i'w rwyd fel pysgodyn dof. Ac mae'n hen bryd imi ddeffro.

226/365 | **Ffeindio nyth**

Hen gornel flêr o'r iard – llieiniau sinc, teiars segur, mwsog yn llyfiad gwyrdd, amheus dros hen sgrap.

Dwi'n gweld rhywbeth. Agorfa daclus yng nghanol y ddrysfa, dewiniaid bychain wedi bod wrth eu gwaith efo'u pigau prysur.

Dwi'n teimlo fel hogan fach saith oed eto, yn dod o hyd i nythod mewn cloddiau, ar fagiau blawd, yn nyfnderoedd llofft yr ŷd. Pan oedd gweld wyau fel gweld aur, a Mam yn dweud fy mod i'n hen law ar eu ffeindio nhw. Mi fyddwn yn cael wy mewn ecob i frecwast yn wobr wedyn.

Dwi'n eu gadael nhw yno'r tro hwn. Gadael i fy nghariad eu hel gan 'mod i'n gwybod fod y plentyn tu mewn iddo yntau yn licio hynny. Ond dwi'n aros yn hir i astudio'r nyth, ac yn rhyfeddu ar sut mae'r fath glydwch yn cael ei greu o flerwch llwyr, ddim yn annhebyg i'r nyth dwi wedi'i greu tu mewn i fy nghorff fy hun.

227/365 | **Yn y canol**

Tasg: Ysgrifennwch ddarn byr am eich gwyliau haf. Cofiwch ddefnyddio prif lythyren ar ddechrau brawddeg ac atalnod llawn ar ei diwedd.

'Nes i chwarae ar Playstation 2 fi a curo lot o gêms. 'Nes i losgi tri *fish finger* wrth neud cinio un dydd Sadwrn ond roedd y bîns yn iawn a 'nes i gael Monster Munch wedyn. Roedd yna lot o haul felly nes i ofyn i Alfie ddod allan i neud dens efo fi. Wnaeth o ista mewn nyth morgrug un tro a deud gair drwg yn dechra efo 'ff'.

'Nes i ddim gweld Mam. Wnaeth hi neud *pinky promise* efo fi fasa hi'n stopio os fasa hi'n pasio heibio, ond mashwr oedd hi'n rhy brysur eto. Mae Dad yn deud bod ni'n dau yn well off hebddi. Cliff ydi enw *fancy man* newydd Mam ac mae o efo lot o bres ac yn galw fi'n *old sport*. Dim ond unwaith dwi wedi gweld Cliff, pan wnaeth o ddod i ddwyn Mam a gneud i Dad grio. Mae Cliff yn ddyn ofnadwy o ddrwg.

Mae Dad yn dal efo poen bol felly mae o'n cael diod gan doctor i deimlo'n well. Ond mae'r diod yn gneud iddo fo faglu a siarad yn rhyfadd weithia, fel pan wnaeth o alw Mam yn air drwg sy'n dechra efo 'b'. Mae'n neis bod yn ôl yn 'rysgol achos mae noson rieni am fod yn fuan, a fasa Mam ddim yn methu hynny. Ella neith Dad ddod hefyd a fyddan nhw'n ffrindia am chydig. Gobeithio fydd poen bol fo'n well erbyn hynny.

228/365 | Y dafell olaf

Ffarwelio efo'r haf

Mi dorrodd yn ysgafn
drwy'r llenni –
haul yn lledaenu,
fel gosod min y gyllell
ym mol melynwy
a'i wylio'n goferu
yn eang
am allan.

Y dafell olaf o haf.

229/365 | Y llonydd sydd i Enlli

Ar ôl tridiau o encil ar yr ynys

Mae angen ynof
am y llonydd hwnnw
y mae'r beirdd gorau
yn sôn amdano,
lle gwastad tu mewn
sydd fel llyn digyffro.
Dim awel yn aredig,
dim carreg yn sgeintio.

Dof o hyd iddo, weithiau,
cyn ei golli eto –
chwinciadau sydyn
fel crisial yn wincio.
Gafael ynddynt yn dynn,
migyrnau'n glaer wyn!
Ond mewn dim,
chwalu eto
wna wyneb y llyn.

Tan Enlli.

Llonydd Enlli
sy'n llyn wedi'i rewi,
y 'tu allan' ddim yn twtsiad
a dim poen am 'run yfory.
Mewn cwmni cytûn
a'n sgwrsio braf, blinedig,
o'r diwcdd, dof i ddeall;
hwn yw'r llonydd gorffenedig.

230/365 | Frida Kahlo

Roedd ei meddwl
ar wasgar –
yn bytiog a brau,
fel breuddwyd
neithiwr
y bore wedyn.
Ond ei chalon
oedd yn brysur,
fel dewin
yn gosod y sêr
yn eu lle
gyda'r hwyr.

Ac o sgrech
ei chyhyrau llesg,
daeth llun.
Y celf gorau ddaeth
o'r du mwyaf un.

231/365 | Rhwng dwy garn

Paid ag anghofio'r hud sydd i edrych drwy'r ffenest a gweld y golau'n taro'r ddwy garn mewn ffordd sy'n gwneud iti daeru bod yna dduw yn bod. Cofia fel i'r haul lafoerio dros y graig, a glas yr awyr yn dy atgoffa o nosweithiau hafaidd dy blentyndod, pan roedd popeth yn chwareus ac ysgafn, a dy unig ofid oedd cael dy hel i dy wely'n rhy gynnar. Mae o'n dy lenwi di efo teimlad tebyg i hiraeth, dydy? Teimlad sy'n brifo'n braf.

Felly mae adra i fod i deimlo.

232/365 | Diwrnod Atal Hunanladdiad y Byd

Y misoedd a ddilynodd fy ymgais i ddiweddu fy mywyd fy hun

Bob bore wedi hynny,
i gadw draw o'r Diwedd,
daliais yn daer ar fywyd
gerfydd blaenau gwyn f'ewinedd.

233/365 | Tu hwnt

Efallai mai'r pen draw i'r sgwennu fydd profi'r hyn dwi wastad wedi'i ddarogan ydi'r gwir mawr,
    mai'r peth mwyaf artistig sy'n bod ydi'r grefft o garu.
    Ac os ydi hynny'n wir, yna fydd geiriau, hyd byth, yn methu.

234/365 | Diwrnod golchi

Doedd o ddim yn hapus heno.
Pob ton o'i eiddo'n dor calon,
yn chwalu fel diwedd ffrae
dros dywod a oedd yn nabod
holl drofeydd ei hwyliau –
ei feddalwch mawr
a'i ddifaterwch mwy.

Uwchben,
eirin gwlanog o gwmwl
yn beichiogi, yn gwthio'i
aur a'i bincdod yn bellach.
Awyr o liwiau storm
yn codi berw,
yna'n berwi drosodd.

Mae hi'n arw heno,
ond o droi am adra,
gwn mai'r garwedd
sy'n fy ngolchi orau.

235/365 | Fel y geiriau

Darn am lyfrgellydd Auschwitz, Dita Kraus

Nid i'w ddarllen
yn unig
ond i'w ddal hefyd.

Ei wasgu'n dynn i'w bron,
yn glawr caled ar galon
feddal, frau,
fel y llyfr ei hun sy'n edau
drosto. Fiw iddi dynnu dim –
edau sy'n ei gadw'n un,
fel ei bywyd hi ei hun.

Nid i'w ddarllen
yn unig
ond i'w fwytho hefyd.
Trotian ei bys
dros ei asgwrn cefn,
arogli'r papur melyn
a hen fodiau brwd,
a throi tudalen
sy'n grensian deilen
rhwng bys a bawd.

Ac am eiliad,
mae ei bywyd
sy'n wasgarog
i gyd,
fel y geiriau
mewn llyfr
yn tynnu ynghyd.

236/365 | C'nesu traed

'Mae'n gafael,' meddai,
yn cau'r drws
a'r ddrycin o'i ôl.
Dwi'n gorwedd dan
fyrdd o flancedi,
Medi sy'n troi tu min.

Mae'n deifio dan y dwfe,
sgrech fain o fy ngenau
a theimlaf gryndod
yn dygyfor
o gofio mai dyma dymor
clymu'r traed oer
am goesau cynnes.

Fi sy'n gwresogi heno –
potel ddŵr poeth

o gig a gwaed.
Mi wna i regi,
ond gwenu hefyd –
mae cariad mawr
mewn c'nesu traed.

237/365 | **Trefn pethau**

Am hen gariadon

Mi all person deimlo'r angen i sbio drwy dwll y clo ar fywyd y llall, gobeithio eu bod nhw'n iawn, heb deimlo'r angen fyth eto i agor y drws a chroesi'r trothwy. Dyma gadw'r parch ynghyn a gadael i bob dim arall ddiffodd.

238/365 | **Llawn eco**

The world is full of lonely people afraid to make the first move.
Tony Lip, Green Book

Mae 'na ddistawrwydd arall.
Fel crafiad fforc ar blât,
sŵn pry tŷ wrth drio cysgu,
crensian ffoil rhwng dy ddannedd.
Annifyrrwch sy'n boen corfforol,
eneidiol,
distawrwydd sy'n sgrech
fel mellten ar noson ddu.

Mae'r lle 'ma'n llawn ohonynt,
distawrwydd sy'n aros oes
i gael ei lenwi efo'r
helô, sut wyt ti, a'r *sori.*
Sawl un sy'n cael ei gadw'n wag
hyd byth, yn llawn eco dan y diwedd?

Mae'r lle 'ma'n llawn ohonynt –
pobl unig sy'n ofni torri'r garw.

239/365 | Dau wydr

Ping neges arall,
cau llygaid a theimlo
fy neisrwydd yn gwingo
wrth imi gogio-bach
nad ydyn nhw'n 'tyrru.
Rhedeg fy mys am i lawr
dros y gwydr –
airplane mode...

a *silent* hefyd, rhag ofn.
Fel cau cyrtans
gefn dydd golau –
bob dim mor effro,
yn *or*-effro
y tu arall i'r gwydr

wrth i banig
fel tegan babi
ratlo tu mewn imi.

Mae ffenest a sgrin
rhyngof a'r byd,
dau wydr sy'n stemio
o syllu'n rhy hir
fel drych wedi cawod
neu ager anadl plentyn,
fel rhybudd;
cym' frêc,
ti'n fflyrtio efo'r dibyn.

240/365 | Fi pia'r dro

Gad imi gerdded y dro
sydd wedi'i serio ynof i.
Hon ydi fy dro i,
gad imi ei hanadlu hi,
ei theimlo hi'n saff
fel braich Mam amdana i.
Gad iddi aros fel mae hi,
yn gyfarwydd
fel ogla crys gora Nhad,
cartrefol hefyd,
gwyn fy myd.

Gad imi gerdded y dro
dwi'n garu.
Hon ydi fy dro i,
gad imi fynd
o bwynt A i B
heb orfod poeni
am gogio galw
'nghariad,
ffôn yn crynu'n fy llaw,
na hofran bys uwch
y rhifa 999.

Hon ydi'n dro i,
paid â'i chymryd oddi wrtha i.

241/365 | Lan môr Llanbedrog

Cyn i'r tywydd droi

Dwi erioed wedi'i weld o felly o'r blaen. Roedd y môr fel 'tae o'n gwasgu ei hun i jîns tyn, tyn, yn dal ei anadl ar y brig er mwyn cau ei falog.

Ac er y ddrwgdybiaeth yn yr aer, roedd hi'n braf. Roedd hi'n hawdd gorfoleddu. Mi gerddais at y dŵr ac yn ôl a theimlo'r geiriau mai croesi traeth yw byw yn cyffwrdd rhywle.

Y rhywle hwnnw lle'r oedd yr atgofion wedi eu storio am Mam a'i hofnau i'r llanw ein cymryd ni'n blant, er ei fod o'n chwerthinllyd o bell i ffwrdd. Fy nghyfaredd at stori'r Môr Coch yn yr ysgol Sul a thripiau undydd i Werddon.

Beicio am lan môr Penllech ar Sadyrnau fy arddegau, a blasu rhyddid ifanc ar halen y dŵr.

Wrth i'r dyddiau fynd rhagddynt, mae'r balog wedi ei rwygo'n agored a'r môr yn anadlu'n gynddeiriog. Roedd pawb yn gwybod bod hyn ar ddod. Ond diolch am y diwrnod hwnnw, sleisen denau o beth melys. Dyna ddiwrnod ffarwelio'r haf i mi, pan oedd pawb yn gwybod bod pethau ar droi, ond am un diwrnod, roedd lan môr Llanbedrog yn para am byth.

I Taid Brychyni ar ei ben-blwydd, yr un diwrnod â chau drysau ar Gapel Brynengan am y tro olaf

Er mai dyma'r tro olaf
i ddrachtio'r pregethu,
wnaiff teimlad at le
fyth feiddio terfynu.

Pan fydd rhaid troi'r clo
wedi noddfa oes gyfan,
bydd ei gariad at y meini,
hyd byth, lond ei anian.

Mi gofiaf innau'r Suliau
o gamu o'r glaw
i gynhesrwydd y capel,
llaw Taid am fy llaw

ac fel imi deimlo,
yn ddim o beth i gyd
ym Mrynengan efo Taid,
bod bendith ar fy myd.

243/365 | Llanfihangel Bachellaeth

Mae'r lôn yn hir,
yn chwit-chwat
fel brên pnawn Gwener.
Mae hi'n gêm
Snakes and Ladders –
finnau'n dringo,
y car bach yn myllio
ond yn gwybod
bod cyrraedd y brig
am deimlo fel
curo.

Mae'r lôn i lawr
fel agor cledr
ar Ben Llŷn, dlws
yn nysgl llaw
y cread.
Gwyrdd am a welaf,
mynyddoedd
yn freichled ddrud,
a'r byd i gyd o'r topia sydd
mewn heddwch am ryw hyd.

244/365 | Libya

Yn dilyn llifogydd difrifol yn 2023 bu farw
dros 4,000 o bobl ac mae 10,000 yn dal i fod ar goll

Pan mae argae yn rhoi
fel coesau dan gorff llesg,
yn methu â dal ei dir
un chwinciad mwy,
y cwymp sy'n tynnu
bob breuddwyd
i'w ganlyn.

Yn y cawl blin
o frown budur,
mae dolur dyn
yn gweiddi.
Rhwng esgyrn tai
a chlai a llaid,
gobeithion merch
sy'n boddi.

Wrth imi nythu heno
yn fy ngwely i fy hun,
ei llef sy'n llafargan ynof –
mae Libya ar ddi-hun.

245/365 | Y gwynder prin

Ti wedi blino, mi wela i'r olion o gylch dy lygaid yn crefu am y gwynder prin hwnnw sy'n perthyn i'r eiliadau cyn disgyn i gysgu.

Ti'n nabod y teimlad yn iawn. Mae dy ben di'n teimlo fel cwch fach yn nofio, fel pendil cloc taid sydd byth yn stopio, fel cael dy suo i gysgu ym mreichiau dy fam unwaith eto.

Ac yn y môr tawel hwnnw rhwng cwsg ac effro, mae'r meddwl yn plygu ei hun i siâp babi mewn croth, yn ildio.

A dwi inna'n plygu mewn gweddi am hyn uchod,
ar ei hyd, *hyn i gyd*,
heno.

246/365 | Lleuad lawn

Pan ti'n poeni nad oes 'na neb yn mynd i dy gymryd di'n union fel yr wyt ti a bod rhaid iti ffrwyno ychydig ar y ffeithiau, tycio ambell beth i mewn, cadw un neu ddau o bethau eraill yn y twll dan grisia;

cofia na fyddi di fyth yn ormod i'r person iawn.

Dwi'n cofio fy addewid efo fi fy hun y bore hwnnw – mi gaiff bob rhan ohona i neu ddim byd o gwbl.

A dwi'n cofio fel y gwnaeth o ddotio efo'r leuad lawn y noson honno.

Ac fel ro'n i'n gwybod.

247/365 | C'nesu traed (rhan 2)

Mae 'nhraed i'n oer, dwi wastad wedi bod yn un rhynllyd. Mae o wastad yn amheus o boeth, yn diawlio unrhyw beth *ond* hynny.

Ond er gwaethaf ei gryndod, mae'n gadael imi g'nesu fy nhraed ar ei groen. Mae fy oerfel i yn lapio efo'i wres o, ac yn fuan iawn, mae pethau'n gysurus eto.

Ac wrth imi roi fy mhen ar ei frest a gwrando ar y curiad yn curo, dwi'n meddwl yn siŵr mai dyna ydi o.

Cariad ydi rhannu'r oerfel.

248/365 | O'r diwedd

Rywle ar hyd y ffordd,
mae 'na ddal dwylo
a deall wedi digwydd.

Cyrraedd fy aelwyd fy hun
a finnau'n agor y drws,
yn llawn croeso.
Estyn llaw, ni'n dwy
yn dod yn un –
y fi oedd i ddoe
a'r fi sydd i heddiw.

Mi wnes i lobsgows,
un wedi'i ailg'nesu
gan mai felly dwi'n ei licio.
Dim mewn meicrowêf –
mewn sosban, bob tro.
Mi dorrais i'r bara
yn dafelli trwchus,
menyn iawn yn dew
ac mi fwytais i'n awchus.
Ro'n i'n gwledda ar fyw,
ar gyrraedd adra.

Ar ôl llond fy mol,
mi godais at y drych.
Mi sbiais arni hi,
arnan ni,
arna *fi*.
Ac o ganol union fy mron,
daeth y geiriau;
    Mi wna i'n iawn efo hon.

249/365 | I gael byw

Mi fydda i'n meddwl yn aml am lawdriniaethau. Maen nhw'n dweud weithiau
ei bod hi'n well cadw craith yn agored na'i phwytho ar gau. Gadael i'r corff
fendio ohono'i hun.

Dyna wnes i efo fi fy hun yn y diwedd. Ar ôl pwytho fy ngorffennol at wallgofrwydd, dim ond i brofi'r datod a'r heintio ac nid y gwella, mi adawais y gorffennol hwnnw'n graith agored.

Weithiau, mae ceisio rheolaeth yn ofer. Ei golli'n llwyr ydi'r ffordd ymlaen.

250/365 | **Ailddysgu**

Ar Ddiwrnod Iechyd Meddwl y Byd

Mae'r byd weithiau
yn colli'i flas,
a chwsg yn orwel pell
na alla i mo'i gyffwrdd.
Dwi ddim yma bryd hynny,
ddim 'go iawn'.
Dwi ar y tu allan,
yn methu â chyrraedd
y fi o gig a gwaed
ar y ddaear,
y fi sy'n mynd i deimlo
bod golchi dannedd
yn orchwyl rhy anodd.
Dwi isio'i hysgwyd hi,
neu ei thynnu i goflaid;
dwi fyth yn siŵr pa un.

Ond dwi'n addo
cadw'i hochr.

Gofalu amdani
â gofal origami
tan iddi ailddysgu
sut mae gwneud hynny
ar ei phen ei hun.
Mi redaf fàth iddi heddiw,
llithro sebon drosti
i'w hatgoffa ei bod
yn haeddu glendid,
yn haeddu'r *byd*,
tan iddi gofio hynny ei hun.

251/365 | **Wrth y galon**

Mi wnes i ddeffro heddiw wrth galon y ddaear.

Wnes i ddim byd ond mwytho fy nghi, gwneud panad, dweud wrth fy nghariad yrru'n saff i'r gwaith. Dro bach wedyn dan haul ifanc, hydrefol, y gwawn a'r barrug yn mwytho'i gilydd yn y cloddiau.

Ond dwi'n sicr 'mod i wedi deffro heddiw wrth galon y ddaear. Roedd curiad y ddwy ohonom yn dynwared dychlamu ei gilydd, yn drybowndian fel carreg ateb cyn cyfarfod a throi'n un curiad, pendant.

Diolch am gael byw.

252/365 | **Am un gerdd**

Cerdd i blant Palestina, Israel a Gaza

'I wish children didn't die. I wish they would be temporarily elevated to the skies until the war ends. Then they would return home safe, and when their parents ask them: 'Where were you?' they'd say: 'We were playing in the clouds.''
Ghassan Kanafan

Am un gerdd,
gad imi beidio ag odli.
Gad imi beidio â ffeindio patrwm,
rhythm, cynghanedd, synnwyr.
Dwi mor brin ohonyn nhw'r
dyddiau hyn.

Am un gerdd,
gad imi edrych ar gorff bach,
gad imi roi ochenaid o ryddhad
o weld arwydd o'i yfory
yng nghryndod byw ei nerfau.
Cwestiynu wedyn a yw ei dynged
yn ffeindiach na'r Llonydd Mawr –
gad imi eistedd yn hir,
hir efo hynny.

Ac am *un* gerdd,
gad imi edrych i'w lygaid,

i'r *byw* sydd ynddyn nhw,
sy'n cydiad yn y byd
efo gafael sy'n llithrig
fel dwylo menyn,
ond yn dal i afael.

Heddiw, gad imi ddirnad
y llychyn lleiaf ar wirionedd y lle
drwy edrych i lygaid ei blant.

253/365 | Y gwaethaf i gyd

Efallai ei bod hi'n bryd rhoi caead ar gymharu eithafwr i anifail.

Anifail ddysgodd imi gariad wedi ei ddihatru, cariad coch, at y bôn.
Lle nad oes iaith rhyngof i a chi,
a chath,
a deryn,
mae yna garu diamod,
teyrngarwch heb waelod.

Fyddai 'run anifail yn meiddio.

254/365 | I gofio Matthew Perry

'God bless you, Chandler Bing!'
Monica Geller (Courteney Cox)

Ddoe, ro'n i'n teimlo'r math o dristwch hwnnw nad o'n i'n gallu ei stumogi.

Maen nhw'n dweud bod angen teimlo bob emosiwn yn llawn, yn llwyr, ond doedd gen i mo'r awydd ddoe. Ro'n i isio mygu'r tristwch mewn hiwmor.

Ro'n i isio gwylio *The One With The Proposal*, isio dy weld di'n dyweddïo, yn gwybod nad dy fywyd 'go iawn' di ro'n i'n ei brofi ond yn dotio atat ti yn yr un modd, fel tasa ti'n ffrind oedd yn byw dros ffordd i finna hefyd. Ro'n i isio dy ddathlu di a dy gymhlethdod hyfryd i gyd.

Ond wnes i ddim gwylio *Friends* ddoe. Fuodd 'na ddim *The One With*, na *The One Where*.

Ro'n i wedi ofni'r dydd ers tro. Y diwrnod lle na fyddai gwylio *Friends* yn codi fy nghalon bellach, ond yn hytrach yn ei thorri'n grybibion.

255/365 | 'rhywle mewn dolur y mae duw'

(geiriau Aled Jones-Williams)

Mi sgwenna i heddiw;
mi fentra i droi fy hun
tu chwith unwaith eto,
fel dilledyn ar lein ddillad.
Bydd fy nhu mewn

yn ddiamddiffyn,
yn dwrdio mor agored
yw ei amrydedd
i ddyrnodau'r gwynt.
Ond sgwennu wna i,
gadael i lafnau'r
geiriau greu briw,
dim ond i deimlo'r
union eiriau yn falm
i'w fendio drachefn.

256/365 | Rhoi blodau

Un peth i'w gofio, i'w gario efo fi rhwng fy nyddiau rhifedig. Un peth sy'n
gosod ffrâm i bopeth, sy'n mynd i fy nghario innau ar y dyddiau lle nad ydi fy
nghalon i'n teimlo'n ffeind efo'r byd.

A'r peth hwnnw ydi bod gan bawb ei groes, bod sgwyddau pawb yn
gwegian. Efallai bod ambell groes yn ysgafnach, sgwyddau rhai yn lletach, ond
mae'n rhaid i bawb wneud y cario.

Ac o achos hynny, dwi'n f'atgoffa fy hun i roi'r holl flodau sy'n tyfu tu
mewn imi yn rhodd i bobl tra maen nhw'n dal i fod yma, hyd yn oed pan mae
pennau fy mlodau yn eu plyg.

257/365 | I Glwb Godre'r Eifl

Ar ddod yn fuddugol yn Eisteddfod CFfI Eryri

I glwb bach, y brig sy'n bell
wrth edrych fry o'r llawr;
ond fyth tu hwnt i afael, chwaith,
o gofio'i galon fawr.

258/365 | Gwneud ffrindiau efo'r gaeaf

Gwranda,
fantell y gaeaf,
wna i ddim dy frysio di,
ddim eleni.
Arafa'r cwbl imi,
pwyll piau hi.
Dangosa dlysni'r
dow-dow,
o rannu'r dydd
yn bytiau bychain
o boteli dŵr poeth
a thân yn clecian,
llyfrau lond fy ngwely
a lobsgows ar y pentan.

Fantell y gaeaf,
gad imi encilio
a diosg y flwyddyn
fel golchi dwylo,
cyn i'r gwanwyn ddod
i'm deffro eto.

259/365 | Dy Gymraeg di

Gei di ei siarad hi fel'ma
neu ei thraethu hi fel hyn,
mae'r llafar lawn mor sbesial
â'r ffurfiol cywir, tyn.

Ym mhair dy iaith, cei daflu
gair estron i'w bol, os leici,
neu ei llenwi, hyd yr ymyl
â geiriau o gegau'r cewri.

Ti sy'n troi'r gymysgfa,
dy law di sydd â'r llwy bren,
ym mhair dy iaith, ti yw'r bòs
ar yr eirfa lond dy ben.

Mae safon, wrth gwrs, yn bwysig,
ond *pwysicach*, cofia di,
yw siarad yr iaith sy'n teimlo
yn unol â phwy wyt ti.

260/365 | Gweld gwerth

Ti'n gofyn imi sut dwi'n mesur fy nyddiau, dwi'n ateb drwy ddweud, *mewn eiliadau.*

Nid mewn cyfri'r oriau dan bump o'r gloch ond yn hytrach yn y gegiad gyntaf o uwd, mewn adar bach yn molchi mewn pyllau dŵr, mewn dyfrio blodau a mwytho cŵn a dro bach i gyfarch yr haul wrth iddo godi i ddiwrnod na fuodd erioed o'r blaen.

A ti'n gofyn imi, pam 'mod i'n gorfod gweld gwerth ym mhob dim? Dwi'n ateb drwy ddweud, *achos dyna'r gwir amdani.*

261/365 | Chwarae clai

Dwi'n meddwl am y Gwyliau Banc a'r Gwener Gwylltion sydd wedi dod a mynd. Sut ro'n i'n chwarae efo fy mhersonoliaeth fel 'tae o'n glai yn fy nwylo, yn gwneud siapiau anghyfarwydd ohono a cheisio rhesymu efo fy nghraidd mai dyma'r person o'n i go iawn – person a oedd yn clecio i anghofio ac yn cario sgyrsiau ond yn colli fy hun yn eu canol nhw'n rhywle.

Roedd hi'n hollol, hollol iawn, wrth gwrs ei bod hi. Yr unig broblem oedd nad fi oedd hi. Eleni, dwi'n addo na wna i fyth eto gerdded i mewn i stafell neu sgwrs gan adael pwy ydw i wrth y drws.

262/365 | Colli calon

Ar ôl i Suella Braverman ddweud bod cysgu mewn tentiau ar y stryd yn 'lifestyle choice'

Dros bedair wal
a tho uwch ei ben,
gwely ar ffrâm
a dwfe glân,
clustogau plu
a gwres drwy'r tŷ,
earplugs, *sleepmask*,
panad, sbre lafant,

mae'n dewis
tent ar balmant.

Baw, glaw,
sŵn dinas ddi-fraw,
oerfel sy'n brifo
fel cariad ail-law.
Oddi tano, ei wely
sy'n galed, ddigysur,
oddi mewn, mae cur
na ellid ei fesur.

Ond ydi, mae'n dewis y dent.

263/365 | Pleser i frecwast

Dwi'n cofio clywed am freuddwydiwr o artist a oedd yn codi'n fore i beintio'r un olygfa drwy ffenest gefn ei dŷ bob dydd yn ddefodol. Dyma oedd ei frecwast, ei nerth i wynebu'r dydd. Golygfa nad oedd blino arni, un a oedd yn hytrach yn ei lenwi â deffroad, egni, a'r fath *awch* at fyw.

Bob tro fydda i'n meddwl bod rhaid i bob gweithred dwi'n ei gwneud gael ei chofnodi, bod yn rhaid imi adael fy marc, nad oes yna bwrpas mewn dim os nad ydi rhywun arall yn fy ngweld i wrthi, dwi'n meddwl am y breuddwydiwr o artist a oedd yn codi'n fore i beintio'r un olygfa drwy ffenest gefn ei dŷ.

A dwi'n f'atgoffa fy hun i ddyfrio'r dewrder ynof i wneud rhywbeth er mwyn fy mhleser fy hun, heb angen am sêl bendith gan neb arall.

264/365 | Bylchau

Gweld bylchau fel pethau i'w llenwi oedden ni ar y dechrau. Roedd y tawelwch yn brin o anadl yng nghanol y cwestiynau i gyd.

A nid gofyn 'Be ydi dy hoff liw di?' a'i debyg, ond gofyn pethau fel, 'Ydi dy fam di'n crio wrth wylio'r newyddion?', 'Oeddet ti'n arfer gwneud cacennau mwd yn blentyn?', 'Wyt ti'n sgwennu duw efo D fawr neu d fach?'

Dyna oedd y dyddiau o wasgu ein hanfod i mewn i'r geiriau, dyddiau o dynnu'r craidd allan ohonon ni'n dau a'i ddal yn erbyn golau'r dydd.

Mae 'na fylchau o dawelwch erbyn hyn. Maen nhw'n anadlu'n braf, dylyfu gên weithiau hefyd. Ond does 'na ddim pwysau o fath yn y byd i'w llenwi heddiw. Mae trochi yn y tawelwch efo chdi lawn cystal â throchi yn y geiriau.

A dwi'n dy garu di.

265/365 | Blodyn drwy grac

Dwi'n stopio sgwennu'r gerdd.
Mi deimla i'r glaw ar y gwydr,
ei sŵn fel pigau adar sy'n gwybod
bod hwn yn dŷ lle 'dan ni'n rhoi,
hyd yn oed i'r adar bach,
yn enwedig i'r adar bach.

Dwi allan yn y glaw rŵan,
ei ramant yn swsus drosta i.
Bochau mor oer nes troi'n boeth,
a chwa iach o ffresni yn fy llgada.
Dwi ddim yn gwlychu, dwi'n gwella.

Dwi'n ôl efo'r gerdd,
y *cul-de-sac* wedi'i osgoi eto.
Ond dweud i mi, be faswn i hebddo?
Heb y glaw sydd, er gwaetha'i stillio,
wastad yn fy nhynnu allan i ddawnsio?
A 'nhynnu'n ôl wedyn at galon geiriau,
fel dyfrio blodyn i frwydro drwy'r craciau.

266/365 | Fi a'r gadair olwynion

Roedd gen i waith cerdded, ond doedd cadair olwynion ddim yn opsiwn. Roedd fy Na yn un pendant, ar ei ben, paid â gofyn ddwywaith – ro'n i am gerdded drosodd i Ronald McDonald House, heb ganllaw o fewn gafael ac eithrio llaw Mam.

Pan oedd fy nghoesau'n wan, roedden nhw'n llawn aer, bron nad oeddwn i'n eu teimlo oddi tanaf o gwbl. Pan oedden nhw'n *flinedig*, roedden nhw'n gerrig, a'r byd o gwmpas yn drwch o eira i lusgo fy hun drwyddo. Ond *eto*, doeddwn i ddim am gymryd y gadair olwynion.

Mae blynyddoedd ers hynny, ac mae dewrder bellach wedi newid ei siâp.

Tra o'n i'n gweld dewrder mewn gwrthod bryd hynny, mewn derbyn y mae dewrder heddiw.

Wyt ti'n fy nallt i?

Cym' y gadair olwynion,

derbyn yr help.

267/365 | Pot jam

Sut mae sgwennu'n teimlo?

Weithiau, fel crafu ar waelod pot jam. Codi dim gwerth o ddim byd ar y gyllell, a thaenu'r llyfiad coch dros dost. Dim cic yn y blas, dim digon i lenwi bol.

Droeon arall, fel agor potyn newydd. Y cynnwys yn felys, ddigyffwrdd. Dim angen crafu, dim ond llithro'r gyllell drwy'r digonedd a'i daenu'n drwch dros dost. Mae'n blasu fel fy mhlentyndod, ac mae'r hogan fach tu mewn imi'n llawn dop.

268/365 | Darn o ddoe

Ar ôl gwrando ar 'Coat of Many Colors' gan Dolly Parton y noson gynt

Mae 'na beiriant jiwcbocs tu mewn imi. Dwi'n aml yn anghofio'r caneuon sydd wedi eu storio o'i fewn efo rhediad y blynyddoedd, ond maen nhw yno.

Mi ddaw un yn ôl imi weithiau a minnau'n ei chanu, air am air, a syndod braf yn fy llenwi. Pa gân arall sy'n cuddio yno, haen o lwch rhyngof i a hi? Pryd gaiff hi ei chwarae eto?

Daeth un yn ôl imi neithiwr, fel gwynt y môr yn taro fy moch. Mi deimlais y slap. Nid slap gas, ond un bwerus a roddodd wawr iach i fy wyneb, un a adawodd binnau bach ar gnawd a oedd yn brifo'n braf.

Drwy'r blŵs, y *folk* a'r *bluegrass*, daeth darn o ddoe i lenwi cornel fach ar fy rŵan.

269/365 | Am fendith, am felltith

Dwi'n dweud na wna i ladd y pry copyn. Wna i ddim ei ladd am ddigwydd bod mewn lle anffodus ar adeg anffodus. Mae 'na guriad ynddo yn yr un modd ag y mae curiad ynof innau. Dyma fy nghartref i, mi wn i hynny, ond does gen i ddim mwy o hawl ar y lle nag yntau.

Dwi'n estyn am y cwpan a'r cerdyn agosaf a'i gau dan y bwa – yn gwylio'i goesau heglog! – cyn ei ollwng i ryddid y gwellt. O fy ôl, ti'n sefyll yno, yn dyst i'r gwbl. A dwi'n gwybod dy fod di'n dod i ddeall yn ara bach pa mor brydferth, a pha mor boenus ydi'r bywyd dwi'n ei fyw.

270/365 | Sŵn y dim byd

Pan ddiffoddodd trydan yr ardal

Dwi'n deffro o gyntun, pedair awr o gyntun. Ddaeth yna ddim i'm pryfocio yn ystod y pedair awr, dim golau na sŵn i fodio meddalwch y gwyn ro'n i'n ei deimlo yn fy mhen.

Mae'n rhyfeddol sut mae'r meddwl yn gwybod yn syth bod y trydan i ffwrdd, a sut mae'r corff wedi llaesu ei glymau o amgylch y gwybod hwnnw.

Ac ydi, mae yn y golau, neu yn ei ddiffyg o, yn hytrach. Ond y diffyg sŵn sy'n taro galetaf. Sŵn sydd wedi troi yn rŵn i wead bob dydd, rŵan wedi rhoi taw ar ei rwndilio. Dim soced nac oergell yn siarad, dim oll ond sŵn y dim byd.

271/365 | Synau'n odli

Mae 'na sŵn yn y stafell nesaf. Sŵn y tân yn tynnu'r hin drwy ei ddannedd, hisian swil y teciall wrth iddo fentro codi berw, a sŵn hepian Mam yn y gadair bellaf.

Mae 'na odl gynhenid i'r synau, rhai sy'n tynnu ar fy ngwreiddiau.

Dwi'n aros yn hir i wrando.

272/365 | Machlud digynnwrf

Ro'n i wedi trefnu cyfarfod ar Teams efo dynes o'r Swistir, Mam efo rhesiad o bwdinau Dolig yn barod i'w stemio. Ac eto, pan fachludodd y sylweddoliad dros y ddwy ohonom nad oedd hyn am fod, sylweddoliad felly yn union oedd o.

Nid bwcediad o ddŵr oer, ond machlud digynnwrf i aildrefnu ac addasu o'i gwmpas, a'r ddwy ohonom yn gadael i'r machlud ddigwydd tu mewn, hefyd;

Ty'd, dyna ddigon i'r dydd, awn ni i swatio.

273/365 | Battleship yng ngolau'r gannwyll

Dwi'n gwybod sut eith hi;
fo a'r cyfarwyddiadau
yn iaith gyfarwydd
drwyddo, fel afon
yn ailfywiogi
o ddyddiau ifanc ei fod.

Finnau wedyn yn dallt dim;
y cyfarwyddiadau'n statig,
fy mhen yn farciau cwestiwn i gyd.
Golau'r gannwyll yn gwingo,
ond er y cwbl, dwi'n dal i drio
er mwyn dal y plentyn, am ennyd eto,
sy'n ailfywiogi yn afon drwyddo.

274/365 | Diwrnod Steve Irwin

Y 15fed o Dachwedd

O'i ôl, mae mintai sy'n cario
ei waddol, pob perl o'i eiddo,
a'u hau yn rhad i gadw'r cofio
am y cawr clên, na fydd fyth eto.

275/365 | Gwamalu

Pe bawn i'n cael dewis ar y mater, a fyddwn i'n dewis yr un sensitifrwydd eto?
Lle fyddai bob dim – y braf a'r brifo – fyth yn methu'r asgwrn?
   Heddiw, byddwn. Ond fory, byddai'n rhaid ail ofyn y cwestiwn.

276/365 | Moelyci

Derbyn triniaeth fewnwythiennol lwyddiannus yn Ysbyty Walton

Sut mae dal heddiw os na alla i bwyso ar y geiriau? Dwi'n troi at y nodau.
Heddiw oedd *Moelyci*, Steve Eaves. I ti sy'n dallt, gwranda arni.
   Moelyci i mi ydi cyrraedd y lle o ollwng fy mag mynydd a chael fy nghefn
ataf. Sylweddoli hefyd nad ydi'r olygfa'n ddrwg o fama, ddim o gwbl. Mi
arhosa i o gwmpas am dipyn. Dydi'r brys i esgyn ddim yn gymaint o ddraenen
yn fy meddwl erbyn lŷn.

Dydi hynny ddim i ddweud bod rhywun yn dileu y tristwch wynebodd o ar hyd y ffordd, ond mae'r tristwch weithiau yn llwyddo i dalu am ei le os ydi hynny'n golygu euro mwy ar y cyrraedd. *Weithiau.*

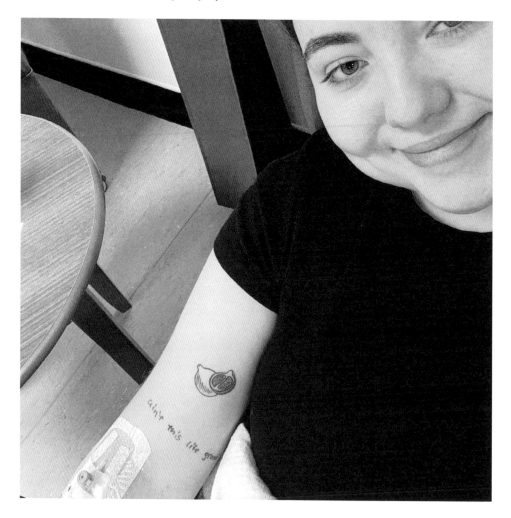

277/365 | **Mynd i'r coed**

'If you have ever gone to the woods with me, I must love you very much.'
How I Go to the Woods, *Mary Oliver*

Fyddwn i wedi cytuno ar ddim!
Dyma fynd i'r coed, i gwrdd
â be fu yno er fy oed
a miloedd mwy
o flynyddoedd cyn hynny.

Dwi ddim yn oedi
rhag bodio'r rhisgl,
ddim yn poeni bod dy drem
yn fy nal yn anwylo'r mwsog,
yn studio'r madarch,
yn gweddïo heb eiriau
yn fy ffordd baganaidd fy hun.

Ti gaiff weld y cyfan i gyd,
fy ngwirioni mwyaf ar rin y byd.

Borderline Personality Disorder

Dwi'n dal i gofio'r dyddiau
lle'r oedd y byd
yn feis am fy mrên –
yn gwasgu,
gwasgu
nes bod fy mhwyll
yn colli'r dydd
i rywbeth mwy;
fel blaen pìn ar goll
ar noson ddi-loer,
lle'r oedd y sêr, hefyd,
wedi troi yn oer.

★

A dwi'n mynnu cofio'r dyddiau
a dorrodd ar y wasgfa –
dyddiau'r smic o olau
a 'nghariodd i'n ôl adra.

279/365 | I blant Gaza

Ar Ddiwrnod Cenedlaethol y Plant

Ro'n i'n meddwl heddiw
am roi adenydd iddo,
ei droi'n aderyn
a dweud wrtho ehedeg
ymhell, bell oddi yma,
cyn i dwll lludw o ddaear
ei gawellu eto
a sisyrnu'r gwyn
o'i blu mân.

Ro'n i'n meddwl heddiw
ei droi'n aderyn,
ond mil gwell fyddai ei weld
unwaith eto'n blentyn.

280/365 | Rala Rwdins a'r criw

Pen-blwydd Hapus yn 40 oed!

I mewn ym mol dychymyg
mae lle sy'n hŷn na'r cynfyd,
lle llawn o hud a hetiau pig
a bodau lliwgar, epig.

Dau Ddewin, un Rala, un Rwdlan,
Ceridwen a strim-stram-Strempan!
Ac wrth eu sodlau, llond trol o ddrygau
sy'n eu dilyn ar hyd y bedlan!

A phan mae'r byd yn bradychu,
drwy'r archif aiff hen blant Cymru
i ddal eto'r afiaith, sydd yn ei wala,
ym mreichiau agored Gwlad y Rwla.

281/365 | Ci bach mewn dinas fawr

Eldra/Elsi fach

A dwi'n deud wrthat ti, pan na fydd llonyddwch imi yn y coed, pan fydd denim y môr yn colli ei liw a phan fydd bob mynydd, nid yn agor fy myd ond yn ei gau fel cic ar ddôr, atgoffa fi i fynd â fy nghi bach i ddinas fawr.

Os ydi popeth arall yn methu, gad imi ei gweld hi'n tynnu gwên o'r wynebau mwyaf styfnig, y rhai sydd ag olion profiadau blin yn draul dros eu hwynebau ond olion sy'n peidio â bod, am eiliad, i gi â'i chynffon fel weiper.

Paid â meiddio gadael imi anghofio'r rhai sy'n cwffio'u swildod ac yn gofyn, *'Can I pet her?'* Y rhai sy'n sôn am gŵn eu plentyndod a'r rhai sy'n dweud drwy'r lwmp yn eu llwnc nad ydyn nhw'n cael digon o amser ar y ddaear efo ni. Cofia, bob hi a fo sy'n stopio, sy'n mwytho, sy'n sgwrsio ac sydd wastad yn llwyddo i ddadlwytho tamaid ar bwysau'r bywyd rhyfedd, rhyfeddol hwn 'dan ni oll yn ei brofi am y tro cyntaf.

Diolch, Eldra.

282/365 | Peintio canfas

Mi glywais fardd yn dweud unwaith ein bod ni'n cymryd rhannau o'r bobl 'dan ni'n eu caru ar hyd y ffordd a'u taflu fel sblashys o baent ar ganfas ein cyfansoddiadau ein hunain.

Dwi'n licio meddwl 'mod i wedi cymryd dogn hael o'i chwerthiniad o i'w gadw efo fi, licio meddwl bod twtsh o'i chrio meddal yn cael ei gario yn fy nagrau innau. Mae hi'n siŵr o fod wedi pupro ychydig o'i sbeis ar fy agwedd, jest digon imi adnabod fy ngwerth. Ac mae ei hiwmor o'n rhuban drwof i, yn brolio'r lliwiau tlysaf yn y cwmni iawn.

Ac am bob fo a hi arall dwi wedi eu caru, dwi'n *dal* i'w caru, mae bob dogn a thwtsh sy'n pupro, sy'n rhubanu drwof i, am gael eu pasio ymlaen i'r rhai sydd am gymryd rhannau ohonof innau.

Boed inni i gyd gymryd y rhannau gorau.

283/365 | Fel saith

Mi wnes i freuddwydio neithiwr am fod yn y car efo fy mrawd a fy chwiorydd eto. Ro'n i yn y canol gan mai fi oedd y lleiaf tebygol o daflyd i fyny, ac roedden ni'n chwarae *Mwnci Bach yn Coelio* a *Car Melyn* am yn ail i basio'r amser.

Roedd yna baced o Mint Imperials yn y blaen, a'r pump ohonon ni'n pwyso a mesur hwyliau Mam, cyn cymryd ein tro i holi am y fintan nesaf. Mi rowliodd 'na un o dan y sedd a mynd i ganol y briwsion amheus hynny sydd wastad yng nghorneli pob car teulu. Roedd hyn yn bownd o ddigwydd.

Dad oedd pia'r dweud efo'r miwsig, ac er fy mod i'n gwybod bod cân yn chwarae, alla i ddim yn fy myw â'i chofio. Celt neu Y Profiad, mae'n bur debyg. Roedd un o'r ffenestri'n agored, a llaw fach Mari yn esgyn ac yn disgyn yn y gwynt tu allan, yr ystum syml hwn yn dal yr union deimlad oedd i ryddid fy mhlentyndod.

Pan ddaeth y deffro, teimlodd fel plwc ar un o gareiau fy nghalon, ac i'w ganlyn, daeth hiraeth annisgwyl am gael bod yn y car fel saith eto.

284/365 | Lôn Goed ar gynffon hydref

Dail, dyna'r cwbl.
Darnau o'r wawr
yn glytiog dros y lle
wrth i'r coed
dynnu eu dillad.
Yn dlws ryfeddol
dan draed,
a'u crensian
yn eli ar enaid.

Mae'n dymor
y trwynau cochion,
bochau byns
yn bigiadau awelon.
Ond yn fy ngwên,
mae'n haf eleni,
gan i'r coed brofi
bod i ddiosg ei dlysni.

285/365 | Claude Monet

'I would like to paint the way a bird sings.'

Mae'n trin y ganfas
â thynerwch
cyw dan lamp,
yn anwylo'r gwagle
â'i frws yn ara deg
gan gymell y llun
yn ei flaen,
fel clapio i gamau
cyntaf babi.

Ac yng nghryndod
lili ddŵr,
yn hyder
y ffrogiau llaes,
yn y môr wrth i'r dydd
ddod i'w derfyn,
llwyddo wnâi i beintio llun
fel y gân ar big aderyn.

286/365 | **Gorffwys**

Mae yna wyneb ffeind i ddyddiau Sul erbyn hyn. Mi awn ar yr un droeon bob tro, ddim ar ôl gwefr y newydd mwyach. Mae'r cyfarwydd yn gwrlid, yn enwedig ar fore fel heddiw a hithau'n oer.

Mi ddyweda i eto mai lan môr Nefyn piau'r eigion yn fy nghalon, hyd yn oed â'r Eifl dan gap, y tywydd yn blentyn wedi pwdu. Ond y dŵr sy'n dawel fel anadl babi, a dwi'n addo dechrau arni eto, y nofio gwyllt. Dwi isio i'r oerfel fod mor rhynllyd nes fy ngwneud i'n gynnes i gyd.

Mi gawn ni ginio Sul o Nan wedyn a'i fwyta adra. Dwi'n anghofio codi cabaits coch, ond dim bwys am hynny. Mae'r pryd yn fy llenwi'n braf ac yn fy ngyrru i orwedd o flaen y tân glo. Ac wrth gwrs, bydd dro arall cyn bo hir, ond am rŵan, dwi'n gorwedd yng ngwres y Sul yn disgwyl i'r cinio dreulio at fodiau 'nhraed, fel fyddai Nain yn ei ddweud.

Oes, mae gan ddydd Sul wyneb ffeind.

287/365 | **Mis Hanes Anabledd**

Pan oeddwn i'n methu â chuddio fy anallu i symud mewn ffordd a oedd yn 'normal' yn lens y byd, a phan nad oeddwn i'n edrych fel 'y fi go iawn', mi wnes i gloi'r drws ar y cwbl, clo dwbl! *Deirgwaith* weithiau pan oedd pethau'n ddrwg, yr anabledd yn rhy amlwg.

A phan oeddwn i wedyn yn symud mewn ffordd a oedd yn fwy 'normal' yn lens y byd, a phan oedd yr 'hen Erin' yn dod i'r golwg eto yng nghoch iach fy mochau, mi agorais y drws fesul dipyn, pip sydyn drwy dwll y clo cyn mentro cerdded, â choesau crynedig, at giât y lôn.

Ond stopio ro'n i, bob tro, y cwestiwn yn dod 'nôl i bryfocio;
Be os nad ydi'r anabledd yn **ddigon** *amlwg rŵan?*

288/365 | **Hi**

'She is the tear that hangs inside my soul forever.'
Jeff Buckley

Dwi'n meddwl am Buckley,
Cohen, Waits, Hozier,
am 'Suzanne', 'Martha',
'Lover, You Should've Come Over'…
am 'Cherry Wine' hefyd,
a'r geiriau sy'n gwaedu,
am 'Kathy's Song', am 'Yellow',
am 'Three Times a Lady'.

Y cryndod mewn caru
a'r cur sydd mewn colli,
y ddeubeth sy'n blethwaith
anwahanadwy.
A'r dyn fydd, hyd byth,
ar ei bedwar yn chwilio
am air i gerfio'r ferch
wnaeth i'w enaid grio.

289/365 | Rhag chwerwi

Sut i gadw'r enaid yn gyfa?
Gadael i'r galon dorri weithia.

290/365 | Bywyd arall

Mae bywyd arall tu mewn imi.
Nid cyfnod, ond bywyd.
Un wedi'i fyw ag ofn
fel carreg mewn esgid
na ellir ei hysgwyd ymaith.
Ofn yn fy ngherdded,
ofn fel pothell agored.

A dwi'n dweud wrthot ti rŵan,
petaet ti wedi rhoi tap
ysgafn
ar f'ysgwydd bryd hynny,
byddwn wedi chwalu
dan bwysau'r cyffwrdd
fel gwydr ar bared,
wedi troi'n sitrwns
crisps-gwaelod-paced.

A phetaet ti wedi dweud
wrtha i bryd hynny
bod yna ben i'r braw
a gipiodd y gwyn
o galon y plentyn,
fyddwn i ddim wedi dy goelio.
Ond dyma fi rŵan, yn ei fyw o.

Achos,
yn y diwedd,
yr holl boeni a ddaeth i ddim byd;
es allan i ddawnsio,
a dwi'n dawnsio o hyd.

291/365 | Crebwyll plentyn

O'r mis du, yn sioc o felyn,
fel seren hwyrol yn disgyn
i dwll o fyd, daeth gobaith drud
yn hud o geg y plentyn.

292/365 | Cyrhaeddiad

Nid cyrraedd man diriaethol,
nid statws, nid ffigwr ar *payroll*,
ond cyrraedd ffordd braf o feddwl
a'i ambell ennyd digwmwl.

293/365 | Hen gitâr

Cerdd i Meinir Gwilym i ddathlu rhyddhau Caneuon Tyn yr Hendy

Hi fydd hi, hyd byth.
Ei llais ydi'r pwythau
i glytwaith fy mebyd.
Edau ei dweud
sy'n dynn o hyd,
fel pob llinyn
sydd i'r hen gitâr.

Heno, es yn ôl
at ei llais, i lacio'r
clymau sy'n hel
wrth ddod i oed.
Dwi yn fy llofft
Groovy Chick (!)

unwaith eto,
yn dotio o'r newydd –
Alexa!
Play 'Merch y Melinydd'.

Ac fel ysgwyd cromen eira
wedi hir segura,
llais Meinir ddaw yn ôl
i bwytho fy nyddiau.

294/365 | Coeden Dolig

Prynu coeden 'gogio-bach',
mi barith hon yn hirach.
A thrwy hynny,
osgoi'r ypsetio
o weld cliwiau darfod
coeden 'go iawn',
fyddai'n fyrdd
o binnau gwyrdd
dan fodiau traed,
yn brownio mwy
wrth yr eiliad.

Un fach, 'dat fy nghanol,
dim ffrils ond yn dra derbyniol.
Ambell belen hwnt ac yma

a *paid â gosod honna'n fan'na!*
Yna diffodd y golau mawr,
cau'r bleinds, tynnu'r llen,
a chynnau golau'r goeden fach
sydd fel cynnau sêr y nen.

295/365 | **Dr Spinty**

Be dwi'n ei gofio orau ydi'r hollt rhwng y doctor a'r dyn.

Y doctor stoic a oedd yn fecanyddol ei fynegiant, yn rhestru'r *worst-case scenarios* mor ddiemosiwn â dyn pren ar adegau. Finnau isio'u derbyn nhw fesul llond llwy de imi gael amser i dreulio'r cwbl yn fy mhwysau. Ond dal i ddosbarthu'r newyddion fesul rhaw wnaeth Dr Spinty. Doedd amser ddim o'n plaid a doedd o ddim am dreulio'i ddyddiau yn sbriwsio siwgr dros bethau. Ddim i neb.

Ond weithiau, byddai'r rhagfur yn rhoi, a'r dyn yn dod i'r golwg. Dyna'r adegau pan oedd yn siarad am ei blant â'i wên fachgennaidd, ac yn cyffwrdd y mymryn lleiaf ar ei faich meddwl yn ei ffordd ffwrdd-â-hi ei hun. Roedd ganddo fy nghysylltiadau ar *speed-dial*, ac mi dorrodd wyliau teulu'n fyr i ddod yn ôl ata i yr un tro hwnnw. Wedi ei serio ynof mae'r atgof ohono'n gafael yn fy llaw bryd hynny, ei embaras wedi'i fygu. Mi drodd â syllu i lygaid marwolaeth ei hun heb wincio unwaith, a ffwrdd â ni eto.

296/365 | Cysgu llwynog

Wrth i'r lôn bost
ein llusgo tuag adra,
mae pob golau stryd
yn felatonin
i feddwl blinedig,
a du'r nos
yn gawod fân
o ddŵr lafant
dros arwedd
oer y dydd.

Dwi yn y lle hwnnw,
yn y canol sydd
rhwng tir yr effro
a'r breuddwydio rhydd.
Ond o gymryd y tro
am y lôn gul i lawr
at adra, at Eldra
a'i chroeso mawr;
ga i anghofio, am heno,
fy mod i'n tyfu fyny,
ga i gysgu llwynog
a chael fy nghario i 'ngwely?

297/365 | Addewid

Mi sgwennaf er dy fwyn,
ddim ond i brofi
nad oes terfyn
ar chwarae a chreu,
bod bydoedd
o ben a phastwn
wedi bod erioed,
ac sy'n para am byth.

Mi sgwennaf er fy mwyn fy hun,
ddim ond i brofi
nad oes rhaid
diffodd y dychymyg
wrth dyfu'n hŷn,
fel chwythu cannwyll.
Meiddia wrando
ar hynny, mae'n dwyll
sy'n dyllau drwyddo.

O'm rhan i,
addewais unwaith
â phob cell o'm heiddo,
i adael i'r plentyn
barhau i freuddwydio.

298/365 | Ailg'nesu lobsgows

Dwi'm isio iddyn nhw ddisgyn dros ddibyn y cof a dal i ddisgyn, disgyn nes troi yn ddim byd.

Gad imi eu cadw nhw er mwyn eu blasu eto, fel ailg'nesu lobsgows. Gad imi dynnu'r llun, sgwennu'r dyfyniad, cadw'r jôcs mewnol mewn ffolder yn saff.

Gan mai atgof ydi'r llynedd a ddoe a'r awr ddiwethaf a'r eiliad sydd newydd basio, gan eu bod nhw'n rasio heibio, a weithiau maen nhw'n mynd cyn imi allu eu gwerthfawrogi'n llawn, yn llwyr.

Gad imi fyw felly i gofnodi, i gadw, fel na fydd rhaid imi fyth ddisgyn i'r dim byd sy'n dod o anghofio.

299/365 | Tlysni'r dydd

Ambell beth tlws am heddiw:

- swˆn y gors yn chwythu swigod
- ychwanegu sinamon at fy uwd boreol
- y ci yn dilyn yr haul, yn gwrthod swatio lle nad oedd golau'n taro
- darllen *The Red Hand Files*
- drudws, dyna'r cwbl
- studio Taid yn hel defaid (fel hediad drudws o daclus)
- gwrando ar Billy Joel
- chwilio am raglen ddogfen at heno
- gwylio rils bwyd (*tiropita* – ti'n werth dy weld)
- dysgu ystyr y gair *philocalist*
- dal fy hun yn gwenu dros y ffaith nad ydi'r dydd drosodd eto.

Pe bai gen i gynffon

Am heddiw, dwi'n gi,
yn rhydd o hwrlibwrli'r
ysgol yrfaol a'r 'setlo lawr'
a'r cyfri dyddiau fesul awr
dan ddiwedd dydd,
a'r sbelan rydd
o afael cyfalaf,
dan yfory.

Fy nhrwyn sy'n fòs
ar y dro drwy'r caeau,
a 'nghlustiau sy'n plygu
i'r nentydd a'u clychau.
Fy mhnawn o bendwmpian
a gwledda'n afradlon,
a chlap mawr gan bawb
am fyw yn ffyddlon.

Mi gadwaf fy heddiw
yn nwfn eitha'r galon;
gwyllt fyddai'r ysgwyd
pe bai gen i gynffon.

301/365 | Mae pobl angen pobl

Cerdd i gofio Benjamin Zephaniah

Ystyriais droi'n feudwy unwaith,
cloi fy hun yn belen dynn, dynn,
fel llwynog yn lapio'i hun
yn ei siôl o gochni,
yn dân rhag yr eira.
Troi am i mewn
rhag brifo mwy,
troi cefn ar bobl
i fendio'r clwy.

Ystyriais droi'n feudwy unwaith,
cyn dysgu fy mod i'n haeddu pobl.

Dwi'n haeddu'r rhai da
sy'n dallt sut i garu,
dwi'n haeddu'r cydorwedd,
y paneidiau a'r rhannu.
Y chwerthin gyddfol
a'r dagrau eneidiol,
dwi'n haeddu'r cwbl
gan 'mod i'n fod dynol.

302/365 | Sgrôl ar Instagram

Interior design,
bwyd Groegaidd,
cacen almwn (*gluten free*).
Plentyn marw,
weekend getaways,
coflaid dynn rhwng tri.
Dyweddïo,
wynebau sgrech,
y môr yn Beiron Bê,
a darnau mân o bobl
yn hunllefau hyd y lle.

Am bob un pâr o lygaid
sy'n dal cyfaredd byd,
pâr arall sydd fel mil o sêr
yn marw ar yr un pryd.

303/365 | Ar fy mhen fy hun

Sut i droi unigrwydd o fod yn annioddefol i fod yn beth braf?

Eistedd yn ddigon hir efo fo. Ei ddofi, fel ceisio dofi ci gwyllt ar ôl blynyddoedd o gam-drin. Parchu bod angen amser arno, amynedd hefyd. Yn yr amser hwnnw, mi ddysgi werth oes o wersi.

Ac yna rhyw ddydd, mi fyddi'n darllen dy lyfr yn dy dawelwch dy hun. Mi ddaw'r unigrwydd atat, lapio'i hun ar dy gôl a dechrau hepian, gan dwitsian yn braf yn y lle hwnnw rhwng cwsg ac effro.

Bryd hynny, byddi'n gwybod dy fod wedi llwyddo.

304/365 | Natur (gw. hefyd, 'duw')

Mi fyddi'n cuddio weithia
yn y coed a'r bloda.
Ar dafod y wendon
byddi'n les i gyd,
fel priodas fyth a hefyd.
Ar ben y mynydd
ti'n wreiddiau sy'n tynnu,
yn olygfa sy'n ddigon i'm llethu.
Ym mebyd y bora,
ti ydi'r gola sy'n dyfod
yn llond dy wala.

305/365 | Yr anhraethadwy

Beth ydi bod mewn cariad?

Sylwi bod geiriau byth yn bodloni.
Bod y gair 'mawr', hyd yn oed,
mor eithriadol o fach.

306/365 | O dan yr un awyr

Mi edrychon ni i fyny ar gymylau diwedd Medi a chwilio am eliffant, am geffyl, am siâp calon – hen gêm o'n dyddiau diniwed, llygaid sêr nad oedden ni isio gweld ei diwedd.

Does yna ddim siapiau sy'n perthyn i'r byd hwn i fyny'n fan'na heno, ond maen nhw'n dlws – eu lliwiau'n feddal fel plu'r gweunydd ac yn binc, binc, fel bochau ifainc ym mrath mis Rhagfyr.

Does yna ddim siapiau sy'n perthyn i'r byd hwn uwch eu pennau nhwythau yn Gaza heno, chwaith, ond maen nhw'n hyll – eu lliwiau fel llygaid ellyllon y Fall, yn gwaedu'n groch.

Ac o ganol fy nigonedd o binc, dechreuaf wrido'n goch.

307/365 | Yr alarch

Nid paru ffwrdd-â-hi,
ond paru sydd byth yn oeri.
Paru sy'n donnau talog, cry,
fel y paru rhwng lleuad a lli.

308/365 | Gadael y wên

Ac yn sydyn, mae hi'n Rhagfyr, ac mae 'na ddygyfor o grio yn dy wddw. Does yna ddim byd sydd cweit fel Dolig am chwyddo, uwcholeuo a thanlinellu dy dristwch di.

Ti'n ffeindio dy wên o dan boenau'r flwyddyn ac yn ei thynnu allan, fel tynnu trimings sydd wedi cyffio yn y twll dan grisia. Mae hi wedi hel llwch, ond dyma'r gorau sgen ti. Fydd 'na ddim dystio leni.

Ac er bod yna gryfder yn ei gwisgo hi, pwy fynnodd bod rhaid iti o gwbl?

309/365 | Y lôn o'n blaenau

'Dan ni'n dod am y twnnel ac yn reddfol yn dal ein gwynt. Dwi'n edrych draw atat a thithau'n cipio eiliad neu ddwy i edrych arna innau rhwng y lôn a'r drychau, ond dydi'r un o'r ddau ohonon ni'n ildio. 'Dan ni am y gorau i ennill gêm sy'n cyfri dim i neb.

A hyd yn oed yn nhywyllwch hir y lle, dwi'n dod o hyd i liw yn dy lygaid sy'n teimlo fel caru a cholli ar yr un pryd. Dyna ydi gwerthfawrogiad llawn, dwi'n teimlo. Caru gymaint nes bod yr ofn o golli yn gysgod bach parhaus iddo. Onid felly'n union y dylai fod?

Ac o rywle, daw golau yn hollt drwy'r myfyrdod. Golau fel fory, drennydd a thradwy yn agor y drws. Anadlwn, a gyrrwn ymlaen.

310/365 | Canu byw

Ar ôl gwrando ar Hozier yn canu'n fyw yn Lerpwl

Mae'n brofiad casgliadol, bod yn un o'r degau o filoedd sy'n gwrando ar ganu byw.

Eto i gyd, o gyrraedd y gytgan, mae 'na rywbeth yn digwydd sy'n troi'r gynulleidfa'n ganhwyllau, ac am ychydig eiliadau ar y tro, maen nhw'n goleuo'r lle i'r canwr ac i'r unigolyn.

Mae 'na linyn anweledig, ond amlwg, rhwng dau, ac mae eu bysedd ar bwls un o wythiennau dyfnaf bywyd. Uwchlaw y caru a'r galaru sy'n trydanu'r lle, mae 'na heddwch dihalog rhwng yr un sy'n canu a'r un sy'n gwrando.

A byddi'n siŵr o feddwl mor bersonol all rhywbeth fod, hyd yn oed pan mae'r byd a'i nain yno.

311/365 | Cyw clomen

Cofio am Johnathan, y cyw clomen fues i'n gofalu amdano am gyfnod

Cyffro sydd lond ei blu,
fel nyth morgrug
yn berwi o fywyd.
Baglai dros ei draed
wrth ffeindio'i adenydd,
mor llwglyd yw ei awydd
i fynd, pan fydd ddigon hen,
i feddu darn o wybren.

Ond er i'w anian alw
mae'n ifanc eto heddiw,
caf ei fwytho fymryn hirach
cyn iddo fynd dan ganu'n iach.

312/365 | Gwell gofyn ddwywaith

Dwi'n gofyn y tro cyntaf er mwyn clywed yr ateb arwynebol sydd wedi ei ymarfer hyd at syrffed:

'Ydi bob dim yn iawn?'

Yr eildro, dwi'n gofyn er mwyn clywed yr emosiwn gwirioneddol sy'n stelcian o dan yr arwyneb hwnnw:

'Ydi bob dim yn iawn, go iawn?'

Gwell gofyn ddwywaith.

313/365 | Be am beidio?

Os dwi'n nôl ail blatiad,
paid â dweud dim.
Gad iddo fod yn beth normal
am y rheswm syml
ei *fod* o'n beth normal.

Os ydw i ar fy mhlatiad cyntaf,
yn chwarae efo'r bwyd
wrth i'r gweddill lyfu eu platiau,
paid â dweud dim.
Paid â megino'r tân
drwy fynnu plât glân.

Paid â sôn am roi cig ar esgyrn,
mai Dolig ydi profi'r *food coma*.
Ac yn yr un modd, rho daw ar y llinell,
'Ti'n siŵr bo' chdi angen hwnna?'

314/365 | Lle nad oes synnwyr

Dydi'r geiriau ddim wastad gen i. Nid prinder, ond diffyg, dim ots faint o
amser dwi'n ei dreulio efo nhw.

Mi ddyweda i rywbeth os wyt ti isio, ond mi fydd o'r peth anghywir. Does
yna ddim geiriau i gywiro mewn sefyllfa lle nad oes synnwyr.

Ond yr hyn wna i ydi gwrando, dwi'n addo 'mod i'n un da am wrando.
Neu rannu'r tawelwch, mi wna i hynny hefyd. Be bynnag wneith helpu i roi'r
galon yn ôl at ei gilydd, damaid bach wrth damaid bach.

315/365 | Merch y lli (1)

Lle da i godi hwyliau,
i deimlo fel gronyn o dywod
yn erbyn ei dibendrawdod.
Pan fo'r dydd yn nyth gwenyn
a'u dwndwr yn brysur a blin,
ei llaw dawel ddaw drostynt
i'w suo yng nghrud ei cherrynt.

316/365 | Merch y lli (2)

Weithia, faswn i'n licio taflu poteli gwydr i'r môr, bob potel efo'i llythyr ei hun. Ac i bob llythyr, mi fyddai 'na gwestiwn. Un corff mawr o wybod ydi hi, wedi'r cwbl – hi sy'n cadw'r atebion i gyd.

Be ydi ffenomen y môr llaethog?
Be ddigwyddodd i'r *Flor de la Mar*?
Be sy'n mynd mlaen yn Nhriongl Bermuda?
Sut deimlad ydi bodoli erioed, a pharhau i fodoli am byth bythoedd, heb derfyn?

Wyt ti'n blino?

317/365 | Merch y lli (3)

Diolch amdani a'i thonnau cry,
sy'n dofi drycin un fach fel fi.

318/365 | Heno yn Gaza

Mae gwaed y machlud yn gwaedu'n lloerig drwy gotwm y cymyla,
    ond ddaw 'na 'run duw i osod pwytha;
    does 'na ddim mendio yma heno.

Eli dwylo Weleda

Mi ofynnodd imi, *Pa ogla sy'n dy atgoffa di o fod yn bum mlwydd oed?* A chyn i ril y cof gael cyfle i ddechrau troi am yn ôl, fe wnaeth yr ogla ddwyn y blaen arno.

Ogla'r portsh ym Mochras, pan oedd Taid a Nain yn byw yma, nid ni. Roedd o'n ogla glân a oedd yn gymysgedd o'r sebon cryf i ddwylo geirwon y ffermwyr ac ogla ysgafnach, chwareus y bocs cadw poteli chwythu swigod.

Mae'n od. Mi ddois i ar draws yr ogla flynyddoedd wedyn, pan oedd Taid a Nain wedi symud o'r hen le a ninnau wedi symud i mewn iddo. Eli dwylo Weleda sy'n dal yr union ogla oedd i fy mhlentyndod. Ogla golchi'r bore i ffwrdd a chwythu swigod i'r pnawn.

Mae'r portsh wedi'i ddymchwel rŵan, ond caf ddarn ohono'n ôl weithia drwy'r ogla sydd i ddwylo fy mam.

Wyau drwg a *feta cheese*

Dwi'n dal i freuddwydio am golli fy amserlen wersi, am y gwayw yn fy llaw wrth sgwennu heibio'r eiliad olaf un mewn arholiad ac fel roedd yr athro'n gorfod cipio'r papur o fy ngafael yn y diwedd. Dwi'n cofio fel imi grio mewn arholiad celf unwaith am wneud stomp o lun Marilyn Monroe, y dagrau'n smyjo bob dim a phawb yn credu mai efaill hyll i Elvis oedd gen i dan sylw. Tydi'r nos ddim yn gadael imi anghofio hynny, chwaith.

Mi fydda i'n breuddwydio am sefyll ym mlaen y gwasanaeth yn adrodd rhywbeth neu'i gilydd, a byddai'r disgyblion o fy mlaen yn taflu wyau drwg a *feta cheese* ata i (mewn difrif calon, ddigwyddodd hyn neithiwr). Rhwng hyn i gyd a'r gwaith cartref coll, yr athrawon yn bygwth mynd â fi i Set 2 a'r hogia'n gwneud hwyl am ben fy *double-As*, mae'r breuddwydion yn wallgof bost. Ond pam eu bod nhw'n aros?

Pam bod yna gnewyllyn o gyfnod a fu yn cael ail wynt pan dwi'n cysgu? A oes yna ran ohona i fydd, am byth, yn ceisio prosesu ansadrwydd fy arddegau?

321/365 | 'Guilty pleasures'

Be bynnag ydi dy beth di –
Real Housewives,
Selling Sunset,
rhoi'r Sul i gyd i'r *box set*!

Pam y 'guilty',
wir, be 'nest di?
Dim byd i deimlo felly.
Os deimli egwyl
o'r olwyn weithio,
dydi'r amser
heb ei wastio.
A gwell fyth, os cei
saib fach o'r byd,
gwna fwy ohono,
a gwna fo i gyd.

322/365 | Robin goch

I Mam, sy'n caru'r robin goch

Dy gân sy'n dal i dorri
yn hollt drwy oerni'r dydd,
a'th ganol coch sy'n fflamio,
yn chwa o lwc a ffydd.

323/365 | *C'mon Midffîld*

Daw Dolig yn llond ei haffla,
dydi hwn ddim yma i chwara!
Wedi'r sŵn i gyd a'r mil o liwia,
rhaid rhoi gwâl i'r holl synhwyra.

Un peth yn unig sy'n galw –
sŵn chwiban trwm ei gloch,
ac ildio 'mhnawn yn llwyr a wnaf
i gwmni ffraeth Bryncoch.

324/365 | Albwm lluniau

Pan mae eiliad yn digwydd a darfod, y peth agosaf sydd gen i wedyn ydi llun. Eiliad organig wedi'i dyblygu'n artiffisial.

    Fel hyn dwi'n dal llygaid pen-blwydd Mam, dwylo gweithio Nhad, y tebygrwydd rhwng fy chwiorydd a chrychau chwerthin fy mrawd bach. Dwi'n datblygu'r cwbl lot i gyd.

Gallaf wasgu'r lluniau yn dynn ataf wedyn, cyn eu gosod yn gymen mewn albwm. Ac mi fydda i'n meddwl, *Ai dyma fy nrwg mwyaf? Fy mod i'n methu â gollwng gafael ar yr holl dda sydd wedi bod?*
Ond nid dyna ydi o, chwaith. Gweithred fach o ddiolch ydi hon, cyn symud ymlaen at yr holl dda sydd gen i'n weddill.

325/365 | *If anything happens, I love you*

Yn seiliedig ar animeiddiad ar Netflix sy'n dwyn yr un teitl

'Not based on a true story',
ochneidiaf.
Ond byr ei barhad
a rhad yw'r rhyddhad
a deimlaf. Gwridaf.
'Not based on a true story',
ond eto, dyma efaill realiti.

Wna i ddim siarad amdano,
am y dyn a ddrylliodd
deuluoedd yn yfflon
mewn chwinciad cliced gwn.
Am iddo ddifa heddwch
y glomen wen
drwy ladd plant bach,
ni chaiff air o 'mhen.

Yr hyn sydd gen i ydi,
rhwng pob cri a gweddi
mae cariad *wastad* yn codi,
a'r casáu sy'n cael ei fygu.
Ar ddibyn bob dim,
a'i byd yn chwilfriw,
ei geiriau:
If anything happens,
I love you.

326/365 | Ar un nos las

Neidia mewn,
gei di'r *aux cord*.
Chwaraea be fynni.
Mi gymerwn ni
sleisan o heno
i ni ein hunain.

Glas ydi lliw'r nos,
nid du, ac mae'r
sêr yn hel yn llu
uwchben,
yn ŵyl hyd erwau'r
wybren.

Ty'd laen!
Awn ni heno,
dau wirion
ar drywydd nunlle.
Dau ddoeth
sy'n credu,
ar un nos las,
bod pob lôn
yn borth i rywle.

327/365 | Y manylion

Dwi'n edrych ar stad y byd ac yn meddwl,
Ydi barddoniaeth wedi'i golli?
Sut alla i greu cerdd o rywbeth mor ddieflig?

Wrth i'r meddyliau wasgu,
mi welaf rannu ymbarél
wrth aros am fws,
dau â chŵn yn arafu
eu camau am sgwrs,
dyn yn troi'n ôl i'r tŷ,
wedi anghofio ei sws.

A dwi'n gwybod bod gobaith eto.

328/365 | Sut mae egluro?

Mae'r plentyn yn gofyn,
'Pwy ydi'r rhai sy'n saethu ac yn bomio ac yn lladd pobl a babis bach?'

Wna i ddim tynnu'r ateb o'r lle caled yn fy nghalon. Gwyraf at addfwynder,
'Y rhai sydd wedi anghofio sut i gerdded ar y ddaear yn ysgafn.'

329/365 | *Pwllheli*, Catrin Williams

Tasa'r llun yn gallu siarad,
byddai rhai yn clywed
am Bwllheli a fu,
a faglodd,
a gollodd ei awch,
lle lluchiwyd y *gladrags*
a daeth stryd dan dawch.

Fy Mhwllheli i yn blentyn
oedd Llŷn Sports, Joshua Tree,
bonbons gwyn Siop Eluned,
Ethel Austin cyn bws tri,
ciniawa yng nghornel Gwalia
efo 'nghyflog pitw bach,
a gadael wedyn â dwy *iced bun*
yn llawn ieuenctid iach.

242

Y Pwllheli welaf yn y llun
yw'r un a brofais i fy hun,
ac er y sôn sy'n dew drwy'r fro
bod fan hyn ''di mynd â'i ben iddo' –
fynnwn i ddim ag anghofio'r lle
yn firi lliwgar drwyddo.
A thra ein bod ni'n dal i gofio,
mae gobaith i Dre godi eto.

330/365 | Gwneud heddwch

Y clo gorau weithiau ydi gollwng gafael ar yr angen am glo o gwbl.

331/365 | Yn gyforiog o gelf

O edrych yn ddigon agos,
yn fanwl gywir,
a thynnu dy grib mân o dy boced hefyd,
mi sylwi efo amser fod celf ym mhopeth.
Mewn cyfarchiad, mewn coed, mewn cacen, mewn cerdyn, mewn cusan,
mewn pethau sydd ddim yn dechrau efo 'c'!
Ac yn dy fywyd dithau, hefyd –
mae'n gyforiog o gelf. *Creda hynny.*

332/365 | Wrth i fy Nolig ddynesu

Mae Ned yn deffro ben bore,
Lisi am wyth ar y dot,
caiff Robin frecwast i'r brenin, wir!
Ond tamaid o fara gaiff Mot.

Mae presantau Twm wedi'u lapio,
rhai Begw mewn sach fawr, ddrud,
hosan sy'n dal trugareddau Gwen,
ac am Hari, does ganddo ddim byd.

Cara sy'n caru ei thwrci,
mil gwell gan Gwil fins pei,
stwffio ei bol â Heroes wna Nel,
stumog wag yn cnewian sgen Dei.

Ac wrth i fy Nolig ddynesu
daw mwy o'm digonedd i'r fei,
ond fiw imi chwaith ag anghofio
am bob Mot a Hari a Dei.

333/365 | Alban Arthan

I'r rhai sydd angen gwyro ar eiriau i'w cynnal drwy drymder gaeaf, mi ddyweda i hyn:

Dyma ddiwrnod byrraf y flwyddyn.
Mae bob dim ar ddechrau ymestyn,
fel dyn yn araf ddeffro o'i gwsg,
yn clecian ei esgyrn, bydd y dydd
yn datod bob yn dipyn.
Ti ŵyr be olygir wrth hyn;

Golau.

334/365 | Dùthchas

Bydolwg Gaeleg sy'n edrych ar etifedd, treftadaeth, cartrefi brodorol a hawliau cynhenid

Ga i fenthyg y gair o bair fy chwaer drws nesaf a'i weu i fy mhwt o Gymru? *Dùthchas*. Dwi'n ei deimlo yma hefyd, teimlo fy mod i wedi fy ngosod ym mowld y pridd sydd i adra. Dwi'n ei nabod o fel nabod câr.

Petai fy synhwyrau i gyd yn cael eu diffodd yn llwyr a bob dim yn eang, yn wag ac yn ddu, gollyngwch fi yn rhywle yn y byd, *unrhyw le*! Fyddwn i'n ddim callach am unlle arall ar wyneb y ddaear, ond am Gymru…

Byddwn yn gwybod. Byddai synnwyr yng nghudd y galon yn nabod y pridd.

335/365 | Pawb â'i groes

Beth sy'n cael ei ddangos ar Instagram dros yr ŵyl:

- *sparkles*, *glitter* neu felfed, neu'r tri efo'i gilydd
- *disco balls* fel addurniadau coeden
- gwydrau siampên efo rhimynnau aur
- gweithdai i wneud torch Nadolig
- byrddau cracyrs a chaws efo salami wedi'u siapio'n rhosod
- gwenau a goleuadau, gwyn i gyd.

Beth sydd ddim yn cael ei ddangos ar Instagram dros yr ŵyl:

- dyledion diwedd blwyddyn
- diffyg gwadd i ddathliad
- dim awch dros ddathlu
- dim *rheswm* dros ddathlu
- ofnau o gwmpas bwyd
- heriau hunanddelwedd
- ffraeo teuluol
- brên wobli
- y galar yn y galon.

Cym' ofal.

336/365 | I Gles

Sydd wastad wedi gofyn imi sgwennu amdani

Fel dychwel i'r môr
ar ôl dos o'r dinesig,
dy weld di sy'n teimlo
fel llwyad o ffisig.

Dy fwytha sy'n barod
a'th wên sydd yn lles,
mi ddyweda i eto –
aur pur wyt ti, Gles.

337/365 | Merched fy mywyd

Roedd yna brydferthwch i neithiwr. Yr holl ffordd adref yn y car, roedd fy nghalon i mor dyner nes ei bod hi'n brifo. Roedd fy nghorff i'n dir corsiog a'r noson wedi camu arna i nes bod y dagrau'n diferu.

Y mathau gwahanol o gariad a deimlais i efo'r genod neithiwr, a maint y cariad hwnnw. Roedd y platonig mor gryf nes bod hwnnw hefyd yn teimlo'n rhamantus. Ac ro'n i'n meddwl, mor *hawdd* ydi caru merched, a chreu efo nhw nosweithiau fel neithiwr. Y math o nosweithiau mae rhywun isio'u cofio pan maen nhw'n hen.

338/365 | **Hen batrymau**

Weithiau, mi deimlaf fy hun yn disgyn yn ôl i'r hen batrymau. Drwy lygad y cof, mi welaf hen lwybrau llwyd yn fy mhen yn aildanio'n oren, yn fflamio eto ar ôl blynyddoedd o gadw heddwch.

Mae'n dal i godi'r un panig, fel dwrn am fy nghalon a dŵr berwedig lond fy ngwddf;

Be os ddigwyddith o i gyd eto?

Ond erbyn hyn, yr angor sydd yn drymach o dipyn. Mi fydda i'n iawn. Ac am rŵan, mae 'iawn' yn hen, hen ddigon.

339/365 | **Gel**

I Ifan a Mari, i gofio Gel

Un addfwyn â'i llygaid meddal,
un glyfar a weithiodd â gofal;
bu'n gwmni i ddofi'r unigedd –
Gel fach oedd driw hyd y diwedd.

Llenwi fy nghroen

Ro'n i'n llwglyd eleni.
Ro'n i wedi blino
ar bigo byw,
ar ofni'r hyn fyddai'n dod
o fwydo fy nghorff
efo'r bwydydd 'drwg'.
Ro'n i isio *gurros*,
churros hefyd,
ac yn lle'r *juice fast*,
y gacen ffenast
oedd lond fy meddwl.

Ro'n i'n iachach eleni.
Ro'n i wedi laru
ar yr holl reoli,
ac efo hynny
mi dynnais y wal i lawr,
a llenwi fy nghroen.
Roedd mwy o raen i fywyd
heb gyfyngu fyth a hefyd.
Dwi'n *stretchmarks* drostaf,
yn farciau byw,
i f'atgoffa, pan fydd angen,
mai fi pia'r llyw.

341/365 | Sut i sgwennu pan ti ddim yn meddwl dy fod di'n gallu sgwennu

Mi wna i siarad efo fi fy hun fel y byddwn i'n siarad â chi bach Dachshund sy'n nabod dim drwg ac sy'n ddim mwy o faint na fy nghwpan de. Dyna'r tynerwch sydd ei angen arna i pan mae'r llais cas yn fy mhen yn stowt.

Be ydi'r ots os ydi'r gwaith yn *boring*, yn wael, yn ddim mwy na chymedrol? Mae 'na ddigon o le i'r pethau hynny hefyd. Mae 'na ddigon o le inni i gyd yma.

Y cwestiwn mawr ydi, a ydw i'n caru fy hun mewn unrhyw sefyllfa arall i'r un graddau ag ydw i pan fydda i'n sgwennu? Dwi ddim yn meddwl fy mod i, ac mae hynny'n ddigon o reswm i ddal ati.

342/365 | Noswyl Nadolig

Un peth a ddymunais amdano,
un gwerth croesi 'mysedd drosto
oedd i deimlo, yfory, ar ddeffro,
fel un bach, yn ferw o gyffro.

343/365 | Gollwng

Dwi ddim yn yogi. Weithiodd yr eistedd mewn llonyddwch heb smic erioed i fi.

Ond weithiau – *yn aml!* – mi ddyweda i hyn wrtha i fy hun:

- llacia dy geg
- esmwytha dy dalcen
- llaesa dy sgwydda
- sylwa ar y bwlch rhwng dwy anadl
- arhosa efo'r bwlch am hanner eiliad

ac mae pethau'n well.

344/365 | Rhwng dau feddwl

Mi ofynnaf drachefn,
Pwy ydw i i sgwennu am fy mynd a dod ysgafn, am bethau braf fy myw bob dydd pan mae'r byd ar dân?

A'r llais bach yn ateb:

Gan mai dyma'r cwbl sydd gen i. Dyma fy *nynoliaeth* i.

345/365 | **Patsy**

Ar wely sbyty,
y cyrtans glas wedi'u tynnu
i gau dynes gas y gwely nesaf
o fy meddwl am ennyd,
roedd diwedd y byd wedi dod –
anobaith oedd meistr fy mod.

O ben draw'r stafell, daeth ataf.
Wedi clywed fy stori,
y mwmial ar dafod y doctor
na lwyddodd y cyrtans i'w lyncu.
'I've been there, too, you know,
though you wouldn't believe it, I bet!
If you need a chat, *anything at all*,
I'll be over there, allright, pet?'

Gadawodd gylchgrawn,
a heb feddwl, heb orfod *meddwl*,
codais hwnnw i fy nwylo.
Darllenais. *Darllenais.*
Ro'n i'n *darllen* eto.
Ac o deimlo eli'r geiriau,
meddyliais ar fy union
i Patsy fy nhemtio,
am 'chydig bach,
i gredu mewn angylion.

346/365 | Diwrnod Dolig

Y cwestiwn olaf cyn cysgu ydi:
Pa bryd fydd pawb yn deffro fory?

A phan ddaw'r deffro,
mi wisgaf fy hwyliau
yn ei dillad gorau,
yn gawod o *sequins*,
a throwsus llac
i ddal y bol fferins.

Rhwng y byta a'r mwytha,
y chwerthin a'r aros pwdin,
mae 'na gofio'n ôl ac ailrannu,
ailfyw ac adfeddu
bob Dolig a fuodd
a'u hanecdotau filoedd,
a bownsio o un i'r llall
a wnawn ni am hydoedd.

Wedyn, yn llond fy mol,
llond f'enaid a'm calon,
llithraf i le sy'n ffeind
ei freuddwydion.
A deffro wedyn i sŵn
llon eu sgwrsio,
a gwybod bod y byd
i gyd yn fy nwylo.

347/365 | Gŵyl San Steffan

Diwrnod i bawb, ond yn arbennig i'r rhai sydd, yn flynyddol, yn gwrthod plygu i seibiant y Sul. Mae'n *rhaid* plygu i Ŵyl San Steffan, od fyddai peidio â'i dreulio'n rhoi hoe i bob asgwrn a chyhyr sydd wedi dy gario o un pen blwyddyn i'r llall.

Mi ei di am dro, neu fynd i'r môr, falla. I mi, Lego, *Chicken Run,* cysgu, a'r gêm Tension fuodd hi. Ti pia'r dydd, addurna fo fel y mynni. Hynny cyn belled â dy fod di, am un diwrnod, yn rhoi caead ar dy euogrwydd angen-gwneud-bob-dim a'i wthio i ben pella'r cwpwrdd-bob-dim, tan yfory, pan fydd y byd yn deffro a'i dro yn cyflymu unwaith eto.

348/365 | Yn ei gyd-destun

Weithiau, mae peidio ag ildio, dal i drio a gwthio drwy'r brifo yn haeddu cael ei ddathlu.

Droeon eraill, stopio'n stond, newid cyfeiriad a gyrru mlaen yn groes i'r graen ydi'r unig ddathliad dilys. Chaiff y gair 'methu' ddim lle i anadlu yma.

349/365 | **Meincnod**

Wrth imi orwedd yma
dan donnau o flancedi,
sŵn y glaw fel bwledi
ar do'r garafán,
a hi wrth droed y gwely
yn canu grwndi yn ei chwsg,
ei phawennau bach yn llonydd
a'i hanadl yn drwm fel y dydd
tu draw i'r ffenest,

dwi'n teimlo'n ysgafn.
Fel dysgu eto sut i gropian,
mae 'nghorff wedi dysgu llacio,
fel agor balog ar ôl stwffio.
Ac mi wn, erbyn hyn,
mai fy llwyddiant mwyaf
yw fy ngallu i droi gwaedd
yn y murmur lleiaf.

Be ydi barddoniaeth?

(i mi)

Yn y pen draw, cyflwr yn y galon sy'n cadw sedd wag i dynerwch.
Barddoniaeth ydi addewid distaw i wrthod caledu.

Ac amdana i, pan mae'r dydd yn rhoi ei bwysau i gyd arna i a'm cloi i'r gwely,
barddoniaeth ydi'r peth all siarad yn gall ag o, ei ddarbwyllo i agor yr hualau
a'i gael i agor y drws imi i weddill y byd.

351/365 | **Mae 'na uffern ar y ddaear**

Os na allwn brofi
bod uffern yn y tu hwnt,
gwyliwn y newyddion
i weld ei olion
yn fflamio'i ffordd
drwy'r ddaear wyw,
lle mae'r peth
gwaethaf *un*
yn gwaethygu *mwy*
y diwrnod wedyn.

Does dim rhaid holi
na chrefydd na duw

i weld bod uffern
yn bod ar dir y byw.
A phan welaf lain Gaza
ar ei gliniau'n y gwyll,
gwn bod uffern yn bwll
all waethygu am byth.

352/365 | Am dro i'r dechreuad

Mi awn am dro heddiw
a chredu bod y mynyddoedd
yn gewri sy'n cysgu,
bod i'r coed wythiennau
fel afonydd glas ein breichiau.
Ein rhychau, wedyn, a'u straeon lu
yw'r gwreiddiau sy'n sbydu o'r Dderwen Ddu.
Y tonnau yw'n teimladau oll yn un,
yn ing, yn angerdd, yn eiliadau cytûn.
Y gorwel yw'n gobeithion am a weli,
a'r môr a ninnau sy'n rhannu'r un heli.

| **Fy mlwyddyn Kintsugi**

Y celf mewn adferiad

Hon oedd fy mlwyddyn Kintsugi:
blwyddyn o uno eto'r craciau
oedd ar wasgar hyd y lle,
nid â gliw ceiniog a dimai
ond â sêl o liw dwylo'r duwiau.

Ddim mewn ymgais i guddio'r difrod,
ond fel modd o gydnabod bod malurio'n digwydd
i bawb,
ond bod gen i ddewis;
byw i ddarnio mwy bob dydd
neu uno'r craciau a thorri'n rhydd.

Dwi'n fodlon efo fy newis,
f'ymylon aur a'u storis.

354/365 | *Highlight reels*

Mi ddaw clo'r flwyddyn efo'i *highlight reels*, mae hynny mor sicr â gwawr a machlud. Nodyn atgoffa mai dyna'n union ydyn nhw – uchafbwyntiau. Weli di mo'r isafbwyntiau (mae hwnnw hefyd yn air!). Chei di ddim sbecian drwy dwll y clo ar yr adegau lle rydan ni, fel bodau dynol, yn teimlo tristwch yn cau ei ddwrn am y galon.

Am bob dyweddïad a phriodas a thrip i ben arall y byd, am bob babi diwrnod oed a phob pryd teuluol wrth y bwrdd bwyd, mae 'na ochr arall sydd ddim mor ddeniadol i'w rhannu efo'r byd.

Fuodd bywyd erioed – fydd bywyd byth! – yn wyn i gyd.

355/365 | Gêm ddyfalu'r ddaear

I mi, cyrraedd fy ugeiniau
oedd sylweddoli
bod fy rhieni, hefyd,
yma am y tro cyntaf.
Heb lyfr canllawiau,
dim ond *rough guide*
o ffyrdd eu rhieni hwythau,
a'r holl famau a thadau a fu
drwy ril yr oesau.

A dwn i ddim,
mae'n deimlad rhyfedd,
dod yn effro i'r ffaith
sydd wastad wedi bod,
ond bod gwybod dyfnach
ohoni erbyn hyn.
Ac er bod ein cyrff yn newid
a'n calonnau'n greithiau galar,
plant, yn y bôn, ydym ni oll
yng ngêm ddyfalu'r ddaear.

356/365 | Hen Nain Pentrefelin

Dydi fy nghof heb golli nabod ar y tŷ, mae'r manylion tu mewn yr un mor fyw imi heddiw â'r manylion oedd i wyneb Nain P.

Roedd y tŷ a hithau'n siwtio'i gilydd, yn estyniad ar ei gilydd. Roedd Nain yn y waliau Fleur-de-lis, yn y brasys o flaen y lle tân ac yn y petheuach brenhinol, aur oedd yn britho'r lle.

Gwae ni os oedden ni'n taro'r brasys i lawr, a doedd wiw i neb fodio unrhyw addurn oedd yn ymwneud efo'r cŵn. Mam a Dad oedd yn cael eistedd gyntaf a ninnau'n gywion melyn wrth eu traed ar lawr, yn gwasgu at ein gilydd, nid i gadw gwres ond i arbed y ffrae oedd yn bownd o ddod os oedden ni'n gorweddian yn rhy gartrefol yn y stafell orau.

A dwi'n cofio ogla'r lle. Ogla fel hwnnw sydd i gapel, ogla carped a thudalennau *Caneuon Ffydd*. Yn y gegin fyddwn i'n cael carton Ribena a Blue Ribbon efo bob te bach ac yn studio'r magnets oedd ar y ffrij am hydion. Yma hefyd y gwelais i gyntaf ei bod hi'n hen arferiad rhoi cap gwlanog am debot 'i gadw'i fol o'n gynnas'.

Doedd Nain P ddim yn un am ddangos ei chalon i'r byd, ac mae'n debyg bod ganddi ei rhesymau ei hun dros hynny. Ond mi fydda i wastad yn cofio i'w gwefus isaf gyrlio i guddio'i chwerthin wrth inni 'gael go' ar gadair symudol y grisiau, ac fel yr oedd yn rhaid iddi gael sws ar ei boch gennym ni, blant, cyn gadael, a hynny'n ddiffael, dim lol.

357/365 | Oren llawn

Un dydd yn Copenhagen

Roedd y dydd yn olau hyd-ddo,
ti'n cofio fel gafon ni ein sboilio?
Roedden ni yn ei ganol
o blygain y dydd,
o'r eiliad ddaeth yr oren
llawn o haul i'r golwg,
ac fel ddaru ni aros.
Aros.
Dim ond dau gariad,
eis crîm, ac awyr dlos,
yn aros i'r dydd ildio
i anocheledd nos.

| **Llythyr caru'r adar**

Pan fydd adar mân
yn trydar i'r wawr,
mi ganant fawl
heb sbardun mwy
na'r ffaith eu bod
yn gweld bore arall.
Oes achos gwell dros ganu,
p'run bynnag?

A'r nodau fel llythyr caru
yn ffrydio o'r lle meddal,
difesur yn nwfn y fron,
cyn codi i'r gwynt
ac uwch y niwl
i awyr newydd sbon.

| **Addewidion**

Dwi'n addo rhoi blwyddyn arall i ddysgu, i ddad-ddysgu, i *ail*ddysgu. I sgwennu, i ddarllen, i ddyfrio fy mhlanhigion, i roi o-bach i fy anifeiliaid a mwytha mawr i fy mam.

I ddweud wrth fy neiniau a'm teidiau bod gen i feddwl y byd ohonyn nhw. I wrando ar eu straeon tan i'r nos fy hel i adra. I gael fy nghariad i chwerthin y chwerthiniad hwnnw mae'n ei gadw jest i fi.

I ddal i chwarae, i gadw chwilfrydedd, i symud yn araf, i ganu allan o diwn ac i ddawnsio'n chwithig.

Ac os na alla i wneud hyn i gyd,

dwi'n addo cofio bod hynny'n iawn, hefyd.

360/365 | Hoff baneidiau (anorffenedig)

- Panad ar noson ddi-gwsg.
- Panad efo *crumpets* llawn menyn.
- Y banad gynta adra ar ôl bod dramor.
- Panad sbyty i dorri'r dydd.
- Panad torri siwrna hir.
- Panad ar ôl yr A55.
- Panad ar ôl noson allan.
- Panad mewn fflasg yn Uwchmynydd.
- Panad ar ôl dŵr môr mis Mawrth.
- Panad pan mae pawb adra rownd y bwrdd.
- Panad gan rywun sy'n gwybod yn iawn sut ti'n cymryd dy banad.
- Panad gan rywun ti'n garu, heb orfod holi amdani.

| **Dwylo almwn**

Dwi'n gweld dy enw
ac yn crio,
ond be 'di'r iws?
Mor dlawd ydi dagrau
pan fo cyrff yn biws.

Dwi'n waglaw, Gaza.
Pe bai heddwch
yn rhywbeth i'w ddal,
i'w barselu a'i basio mlaen,
byddwn yn ei roi
yn dy ddwylo siâp almwn.
Ond dydi breuddwydio
yn dda i ddim heno.

Mae siarad yma
am lechi glân,
am addewidion,
am ddechrau newydd.
Y fath *fraint* yn hynny;
dim ond un diwedd
ar ôl y llall
sydd lond dy diroedd di.

362/365 | Bore ola'r flwyddyn

Doedd hi'n fawr o wawr
yn y diwedd,
dim ond stribyn main
o olud yn gwasgu am le
drwy darth trwm y bore.

Pam imi ddisgwyl
gwawr binc yn inc
i staenio bore ola'r flwyddyn,
wn i ddim, ond mi ddyweda i hyn;
dwi'n magu panad yn fy nwylo
a drwy'r ffenest, mae'r haul yn trio,
trio lliwio'r heddiw olaf ym mhoced eleni
efo'i botyn o baent sy'n prysur sychu.
Ar ddiwedd blwyddyn gyfan, gron,
ei fymryn sy'n fwy na digon.

363/365 | Y flwyddyn a fu

Maddau oedd gair eleni.

Nid i neb arall,
rhoddais y flwyddyn
flaenorol i hynny,
i llnau fy nghur
drwy docio a chwynnu.
Un fach oedd ar ôl,
a'r bwysicaf un –
es ati i faddau
i mi fy hun.

364/365 | Y flwyddyn fydd

Dwi'n gobeithio am foreau o Twinings, Berocca, Symprove, Collagen ac o gymryd fy nhabledi i gyd.

Dwi'n gobeithio am hanner awr rydd ar bnawniau hirion i gael mynd am dro, a thrafod manion bethau efo Dad dros ginio.

Ac am y tywydd, rho'r cwbl i fi. Storm genllysg, pnawn eirias, niwl Llithfaen a glaw Blaenau. Mi alla i wneud ffrindiau efo nhw i gyd erbyn hyn.

Rho imi fôr, rho imi fynydd. Rho imi lonydd cefn a llwybrau defaid a golygfeydd sy'n drybola o dduwdod.

Rho imi goed, blodau, planhigion. Rho imi anifeiliaid, rho imi bobl gan mai'r casgliadol ydi bob dim.

Atgoffa fi 'mod i'n gwisgo fy mregusrwydd yn gymaint taclusach na 'nghaledwch, felly gad imi grio a theimlo gan na weithiodd y gwrthwyneb erioed.

A dwi'n gobeithio, pan welan nhw fi'n gwneud hyn i gyd, y cawn nhw heddwch yn y ffaith nad oes angen poeni amdana i 'run fath ddim mwy.

365/365 | Yr olaf un

Dwi'n sbio arna chdi a dwi'n mentro, yn meiddio gweld mwy o ddyfodol o fy mlaen nag erioed o'r blaen,

10, 9, 8, 7,

ac mae 'Auld Lang Syne' yn f'atgoffa mai hen ffrindiau oedden ni'n dau cyn inni ddod o hyd i'n gilydd eto,

6, 5, 4,

a 'dan ni'n dal dwylo, yn gwasgu, ein llgada'n siarad am bethau nad ydi geiriau yn gallu eu dirnad. Does gen i mo'i hangen nhw yn yr eiliadau hyn,

3,

2,

1

Lluniau i gyd gan Erin heblaw am:

Aya – gwefan BBC News

Mohammed Aziz – ar nifer o gyfrifon Instagram

Joseph Lorusso, 'Saying Goodbye' – gwefan Reddit

Dangosaf iti gariad – tudalen Instagram @vidinine

Frida Kahlo – https://en.wikipedia.org/wiki/File:Frida_Kahlo,_by_
Guillermo_Kahlo.jpg

Holwch am bris argraffu!
www.ylolfa.com